Inteligência do coração

PATRICIA MEIRELLES

Inteligência do coração

Luz da Serra
EDITORA

Nova Petrópolis/RS – 2021

Capa:
Desenho Editorial

Produção editorial:
Tatiana Müller

Projeto gráfico e diagramação:
Luana Aquino

Revisão:
Bruna Gomes Cordeiro

Ícones de miolo:
Freepik.com.br

Dados Internacionais de Catalogação na Publicação (CIP)

M514i   Meirelles, Patricia.
        Inteligência do coração / Patricia Meirelles. – Nova Petrópolis : Luz da Serra, 2021.
        312 p. ; 23 cm.

        ISBN 978-65-88484-21-0

        1. Autoajuda. 2. Autoestima. 3. Amor-próprio. 4. Desenvolvimento pessoal. 5. Autoconhecimento. I. Título.

        CDU 159.947

Índice para catálogo sistemático:
1. Autoajuda   159.947
(Bibliotecária responsável: Sabrina Leal Araujo – CRB 8/10213)

Todos os direitos reservados. Nenhuma parte desta obra pode ser reproduzida ou transmitida por qualquer forma e/ou quaisquer meios (eletrônico ou mecânico, incluindo fotocópia e gravação) ou arquivada em qualquer sistema ou banco de dados sem permissão escrita da Editora.

Luz da Serra Editora Ltda.
Avenida Quinze de Novembro, 785
Bairro Centro - Nova Petrópolis/RS
CEP 95150-000
loja@luzdaserra.com.br
www.luzdaserra.com.br
loja.luzdaserraeditora.com.br
Fones: (54) 3281-4399 / (54) 99113-7657

Querido leitor, por meio do QR Code a seguir você pode acessar um material exclusivo, que preparei especialmente para você. Aponte a câmera do seu celular ou baixe gratuitamente o aplicativo QR Code Reader.

SUMÁRIO

INTRODUÇÃO 15

LIÇÃO 1: FALAR COM O CORAÇÃO 20

LIÇÃO 2: COMO VOCÊ INTERAGE COM O MUNDO 22

LIÇÃO 3: O PODER DAS DECISÕES 25

LIÇÃO 4: A INTENÇÃO DITA A REALIDADE 28

LIÇÃO 5: ENCONTRE COERÊNCIA ENTRE CÉREBRO E CORAÇÃO 31

LIÇÃO 6: PENSE COM O CORAÇÃO 34

LIÇÃO 7: SEJA RESPONSÁVEL PELA SUA VIDA 37

LIÇÃO 8: PROSPERIDADE É UM ESTADO INTERNO 39

LIÇÃO 9: SUA SAÚDE DEPENDE DE VOCÊ 42

LIÇÃO 10: COLOQUE SEU CORAÇÃO EM TUDO 45

LIÇÃO 11: O SILÊNCIO COMO BASE DO SABER 47

LIÇÃO 12: A PUREZA DE CORAÇÃO DEIXA ELE MAIS INTELIGENTE 49

LIÇÃO 13: ENERGIA NÃO MENTE 51

LIÇÃO 14: O MUNDO É UMA TELA 53

LIÇÃO 15: SAÚDE PODE SER FRUTO DO PENSAMENTO? 56

LIÇÃO 16: BRILHAR DEPENDE DE VOCÊ 58

LIÇÃO 17: NÃO SOBRECARREGUE SEU CORAÇÃO 60

LIÇÃO 18: ASSUMA SEU PAPEL DE CRIADOR 63

LIÇÃO 19: SINTA, FAÇA E SE CURE 66

LIÇÃO 20: CULTIVE O HUMOR 69

LIÇÃO 21: TENHA UM POTENCIAL ILIMITADO 72

LIÇÃO 22: O PULO DO GATO É SENTIR 74

LIÇÃO 23: CONSTRUA SUA MARÉ DE SORTE 77

LIÇÃO 24: MUDE A SINTONIA 80

LIÇÃO 25: PURIFICAÇÃO PARA SENTIR-SE MELHOR 84

LIÇÃO 26: SUA TECNOLOGIA É VOCÊ QUEM REPARA 87

LIÇÃO 27: TODOS ESTAMOS CONECTADOS 90

LIÇÃO 28: PARTICIPE DA REALIDADE DO PLANETA 93

LIÇÃO 29: PRATIQUE A COMPAIXÃO 96

LIÇÃO 30: VOCÊ CONTRIBUI PARA ELEVAR A ENERGIA DO SEU AMBIENTE? 100

LIÇÃO 31: A PRECE INTELIGENTE 102

LIÇÃO 32: O SEGREDO DO MAGNETISMO PESSOAL 105

LIÇÃO 33: RIR É REMÉDIO DE VERDADE   108

LIÇÃO 34: ACREDITE NO SEU PODER PESSOAL   110

LIÇÃO 35: VIVA MILAGRES TODOS OS DIAS   113

LIÇÃO 36: VIVA DE ACORDO COM O SEU CORAÇÃO   116

LIÇÃO 37: SENTIR É A CHAVE DE TUDO   119

LIÇÃO 38: RESPIRE PARA TER UMA VIDA MELHOR   122

LIÇÃO 39: RETROALIMENTE O AMOR   124

LIÇÃO 40: SEJA O SEU INCENTIVADOR   127

LIÇÃO 41: ESQUEÇA O *MINDSET*:
É HORA DO *HEARTSET*   130

LIÇÃO 42: O PODER
DAS PLANTAS NA SUA CASA   133

LIÇÃO 43: CORAÇÃO TEM MEMÓRIA   135

LIÇÃO 44: CONFIAR COM O CORAÇÃO   138

LIÇÃO 45: O PODER DA ORAÇÃO   141

LIÇÃO 46: CONEXÃO COM A NATUREZA   144

LIÇÃO 47: A ROTINA DO CORAÇÃO
INDESTRUTÍVEL   147

LIÇÃO 48: AUTENTICIDADE:
QUANDO VOCÊ OUVE A SI MESMO   150

LIÇÃO 49: O *DAY OFF* PODE TE SALVAR 153

LIÇÃO 50: VIVA UMA VIDA MÁGICA 155

LIÇÃO 51: APRENDA COM QUEM ESTÁ NO SEU NÚCLEO FAMILIAR 157

LIÇÃO 52: NÃO SEJA SEU JUIZ 160

LIÇÃO 53: SEJA ANTES DE QUERER QUE OS OUTROS SEJAM 162

LIÇÃO 54: ESTEJA COM QUEM ABANA SUAS CHAMAS 164

LIÇÃO 55: TENHA PRAZER NO SEU DIA A DIA 166

LIÇÃO 56: RETIRE O PESO DA SUA VIDA 168

LIÇÃO 57: SENTIR É ROMPER COM PADRÕES 171

LIÇÃO 58: SEJA ÍNTEGRO CONSIGO MESMO 174

LIÇÃO 59: ACIONE SEUS SUPERPODERES 176

LIÇÃO 60: ACEITE A MÁGICA 178

LIÇÃO 61: A MÚSICA CONECTA 182

LIÇÃO 62: IOGA, UM SANTO REMÉDIO 185

LIÇÃO 63: PODE CHORAR À VONTADE 188

LIÇÃO 64: RESPEITE SEU RITMO 190

LIÇÃO 65: OBSERVE SUA FISIOLOGIA 193

LIÇÃO 66: A ALIMENTAÇÃO MUDA
SUA ENERGIA   196

LIÇÃO 67: VOLTANDO À ESSÊNCIA   198

LIÇÃO 68: BEM-ESTAR NA VEIA   201

LIÇÃO 69: MATERNIDADE
COMO RECONEXÃO   203

LIÇÃO 70: COMO RECUPERAR
A CHAMA INTERIOR   206

LIÇÃO 71: REPROGRAME SUA MENTE   208

LIÇÃO 72: SENTIMENTOS SÃO COMBUSTÍVEIS   211

LIÇÃO 73: PARE DE REPETIR PADRÕES   214

LIÇÃO 74: O BARULHO INTERNO
QUE VOCÊ NÃO OUVE   216

LIÇÃO 75: OS SINTOMAS DE QUE
VOCÊ NÃO ESTÁ EM VOCÊ   219

LIÇÃO 76: SEJA LÍDER DE SI MESMO   222

LIÇÃO 77: VIVA EM ABUNDÂNCIA   225

LIÇÃO 78: TRANSFORME O ORDINÁRIO
EM EXTRAORDINÁRIO   228

LIÇÃO 79: SOLTE SUAS CORRENTES   230

LIÇÃO 80: TENHA COMPAIXÃO   233

LIÇÃO 81: FAÇA ESCOLHAS COM AMOR 235

LIÇÃO 82: CORAÇÃO MAGNÉTICO 238

LIÇÃO 83: A CABEÇA NÃO SABE NADA 241

LIÇÃO 84: QUAL É O TAMANHO DA SUA AURA? 244

LIÇÃO 85: O PODER DE CONEXÃO DA ORAÇÃO 247

LIÇÃO 86: OS SINAIS SEMPRE
TE LEVAM ONDE VOCÊ PRECISA CHEGAR 249

LIÇÃO 87: A DANÇA E A RECONEXÃO 252

LIÇÃO 88: MANTRAS PARA OS DIAS RUINS 254

LIÇÃO 89: REÚNA PESSOAS E AMIGOS 257

LIÇÃO 90: DEIXE SUA BAGAGEM LEVE 259

LIÇÃO 91: TENHA UM ANIMAL DE ESTIMAÇÃO 261

LIÇÃO 92: ENUMERE SUAS BENÇÃOS 264

LIÇÃO 93: OBSERVE SUA RELAÇÃO
COM SEUS DONS 267

LIÇÃO 94: SAIBA DOMINAR SEUS SENTIDOS 270

LIÇÃO 95: COLOQUE ENERGIA EM TUDO QUE FIZER 272

LIÇÃO 96: AJUDA-TE E A VIDA TE AJUDARÁ 274

LIÇÃO 97: SIGA SEU CORAÇÃO 276

LIÇÃO 98: NEM TUDO SÃO FLORES 278

LIÇÃO 99: COLOQUE CONHECIMENTO EM PRÁTICA 281

LIÇÃO 100: VIVA UMA VIDA DE MILAGRES 284

LIÇÃO 101: O QUE VOCÊ REALMENTE DESEJA 287

LIÇÃO 102: A OPINIÃO CERTA 289

LIÇÃO 103: SORRISO CURA 292

LIÇÃO 104: CANTAR É UMA DECLARAÇÃO AO UNIVERSO 295

LIÇÃO 105: TELA MENTAL CRIA SUA REALIDADE 298

LIÇÃO 106: MOLÉCULAS DE ÁGUA 301

LIÇÃO 107: ORGANIZAR FORA PARA ORGANIZAR DENTRO 304

LIÇÃO 108: NUMEROLOGIA – A LEI DA VIDA 307

AGRADECIMENTOS 310

INTRODUÇÃO

Quando escrevia meu primeiro livro, *A arte da conexão*, senti que me aproximava cada vez mais do assunto "Inteligência do Coração". Então, procurei me aprofundar no tema através dos vários cursos que encontrei, para tentar entender mais sobre algo que eu já intuía e usava na minha vida. E assim como todos os cursos que fazemos, esses só vieram para me dar certeza do que eu já tinha acessado.

Todos nós temos uma inteligência infinita: a inteligência do coração. Ela já está dentro de nós, só precisamos nos conectar com ela. No entanto, pouca gente a acessa nos dias de hoje, pois somos seres muito mentais, tentamos persuadir e falar com o intelecto enquanto existe uma forma de comunicação muito mais simples.

Falar com o coração não é comum, mas é o que as crianças fazem, o que os sábios fazem e o que muitos estão estudando. É diferente de programar respostas. Está longe de ser o fazer algo para agradar alguém. É entrar num fluxo de energia e vibrar naquela sintonia, criando um novo percurso que não tem muita lógica para quem enxerga de fora, mas que faz sentido para a sua vida.

Assim que comecei a perceber que estava usando a inteligência do coração em muitos assuntos, passei a buscar sinais e, certa manhã, enquanto pensava sobre isso, um coração formou-se no chão do banheiro quando uma espuma caiu. Pouco tempo depois, minha filha nasceu com um sinal de coração na testa. Essas histórias poderiam ser uma simples coincidência, mas eu decidi entendê-las como um sinal de que eu precisava falar mais sobre isso. Sinto que cada vez mais as pessoas estão carentes dessas informações. Muitos buscam técnicas e respostas prontas, mas pouca gente está preocupada em

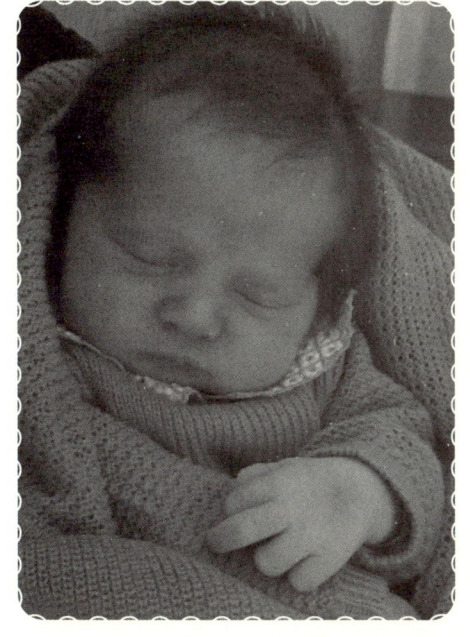

olhar para dentro de si e intuir a resposta.

Acessar o poder do coração é uma arte, e eu não queria escrever um livro teórico sobre essa arte. Queria que fosse algo de dentro do coração. Que falasse sobre coisas simples que funcionaram no meu dia a dia e podem agregar no seu.

Menos teoria, mais amor.
É sobre isso que vamos falar agora.

Mais sinais nessas duas fotos: a imagem de um coração apareceu tanto na minha primeira quanto na segunda gestação

AS 108 LIÇÕES

LIÇÃO 1

FALAR COM O CORAÇÃO

"Pense menos, sinta mais.
Às vezes, os pensamentos sufocam os sentimentos.
A razão é impotente comparada ao amor."

Mestre Rumi

Sempre fui uma pessoa que tentou se conectar com as outras através do coração. Eu sabia que as conexões reais não eram feitas por outro motivo senão por uma afinidade que é sentida e não podemos explicar.

Muita gente tenta aproximações manipulando o outro, e eu costumo brincar que "energia não mente". Porque nós até podemos tentar simular algo, mas o outro sempre sentirá nossa intenção. Estar com o coração puro e sintonizado é a premissa para acessarmos a frequência dos milagres em nossas vidas. No entanto, raramente estamos sintonizados com o coração, porque vivemos numa era onde estamos mentalmente perturbados e usamos a razão para buscar todas as respostas que procuramos.

Buscamos respostas, mas não estamos dispostos a acessar essa verdade interna porque muitas vezes preferimos dar ouvidos ao que vem de fora. Não confiamos nessa inteligência divina.

Para falar com o coração precisamos nos observar internamente, acalmar a mente e entrar em sintonia com o nosso processo de purificação. Se a boca fala do que o coração está cheio, precisamos, então, saber nutrir o coração com aquilo que o preenche e o fortalece.

Pesquisadores do HeartMath mostraram que a emoção humana tem efeito no DNA, e que este último impacta diretamente a matéria que constitui o mundo. Pense bem nisso. Temos como mudar o mundo através de nós mesmos. Essa tecnologia interior funciona de dentro para fora.

Se colocarmos essa força na palavra, se acreditarmos que tudo de que precisamos está dentro do nosso coração, conseguiremos efeitos no corpo, na realidade externa e na materialização de milagres. Nosso coração é o caminho para a mudança.

LIÇÃO 2

COMO VOCÊ INTERAGE COM O MUNDO

"Deverás também decidir e decretar uma coisa, e esta deverá ser estabelecida para ti, e a luz de Deus brilhará em tuas veredas."

Jó 22.28

O que é uma vida espiritual para você? Para mim, sempre foi clara uma coisa: uma vida espiritual não tem a ver com a religiosidade que praticamos. Podemos ser praticantes do Budismo, do Cristianismo, ou estar vinculados a qualquer outra religião, mas ter uma vida espiritual é ter uma conexão direta entre o seu coração e a sua divindade.

Depois que tive minha primeira filha, a Maria Alice, confesso que me tornei uma pessoa mais espiritual. Percebo que pratico a espiritualidade no meu dia a dia cada vez mais, me aproximando do que sou em essência. Ouço minha intuição, brinco com minha filha, percebo o que está me afastando e me aproximando do bem que quero para a minha família e noto que estou cada vez mais próxima do que vim realizar como missão neste mundo.

Mas o que isso tem a ver com inteligência do coração?

A verdade é que depois de estudar e digerir as informações sobre inteligência do coração, pude perceber na prática que a saúde emocional que desenvolvemos é, de fato, muito simples e distante do intelecto.

A questão da espiritualidade e da conexão real que temos com o divino está no modo como vivemos a nossa vida. E aí eu te pergunto: como você está vivendo a sua vida? No que você acredita?

Todos nós somos pessoas que acreditamos em certas coisas, temos nossas histórias, de onde viemos, a construção familiar, social, religiosa, educacional, cultural... Mas de que forma assimilamos tudo isso e produzimos de fato o que vai mudar a nossa vida e a de quem está ao nosso redor?

Saber interagir com o mundo é conhecer os limites e a habilidade que temos de solucionar problemas. É saber escolher relações, selecionando as pessoas certas para estar ao nosso lado simplesmente porque sentimos que elas nos fazem bem e que existe uma relação de troca genuína.

Tudo o que trazemos para a nossa vida determina a maneira como acreditamos nas coisas. E às vezes descuidamos disso. Fazemos contratos com pessoas que não estão vibrando na mesma sintonia que a nossa, andamos com pessoas que estão caminhando para missões opostas ao que acreditamos.

Por isso, todos os dias temos que ter a intenção positiva de perceber o que queremos guardar em nosso coração, pois ele é o portal que acessamos para encontrar as respostas. E as respostas de verdade na vida não chegam através da lógica. Elas chegam através dessa conexão com o coração.

Em quem você confia? Como usa as informações que recebeu desde o seu nascimento?

Podemos escolher interagir com o mundo através da mente, que articula persuasivamente, ou através do coração, que enxerga o mundo de uma forma mais alinhada com o que viemos fazer nesta Terra. Alguma coisa mágica acontece quando escolhemos ouvir nosso coração.

Sinta o que seu coração está dizendo hoje. Apenas sinta e passe a escutá-lo para que ele comece a dirigir sua vida.

LIÇÃO 3

O PODER DAS DECISÕES

"Precisamos obter nossa liberdade de modo absoluto e completo, para que tudo o que façamos, cada uma de nossas ações e cada um de nossos pensamentos, tenha origem em nós mesmos."

Edward Bach

Tomar decisões é algo que fazemos o tempo todo. Decidimos que roupa vestir, o que comer, o que assistir, que projeto tocar. Decidimos tantas coisas ao longo de um dia que, quando percebemos, nossa vida avançou ou retrocedeu ao longo do ano porque cada pequena decisão afeta nosso futuro.

Contudo, poucos de nós se abrem para a vida com a confiança de uma criança. Poucos acreditam no universo das infinitas possibilidades. E por que fazemos isso? Porque confiamos simplesmente em informações e técnicas, e a mente está focada em nos fazer sobreviver, e não em fazer com que possamos aproveitar ao máximo cada dia de nossas vidas.

Quanto mais você conhece a si mesmo, menos medo existe no mundo. Quando temos paz interior, não temos guerras, temos um dia bom. Mas e quando tudo está desabando ao seu redor? Você é influenciado por notícias, por opiniões, por algo que você ouve com a razão?

Há bastante tempo, eu decidi apostar nesse GPS interno que é meu coração. Parei de dar ouvidos à mídia, às pessoas, e passei a entender que dentro de mim eu poderia acessar respostas que me conduziam aos meus desejos de alma. Sempre que eu me acuava ou ia contra essa intuição, as coisas davam errado. E aí eu entendia que precisava deixar de ser teimosa e acreditar mais em mim mesma.

Não mudamos o mundo, mas mudamos a maneira como respondemos e reagimos a ele. Mas acontece que reagimos demais e não escolhemos nossa vida. Simplesmente vamos delegando o poder de nossas decisões e vivendo a vida que escolheram para nós.

Quão fundo podemos ir se ouvirmos nosso coração?

O que faz com que deixemos uma marca na História é o modo como vivemos nossas vidas.

Por isso, é hora de ativar nosso coração para que possamos fazer escolhas melhores e mais conscientes para nós, para o planeta em que vivemos, para a sociedade. É hora de se conectar com o todo e estabelecer uma nova maneira de dirigir a própria vida.

É hora de confiar, de entregar, de entender que nascemos com essa capacidade infinita de conduzir nosso destino.

LIÇÃO 4

A INTENÇÃO DITA A REALIDADE

"Quando experimentamos continuamente as mesmas emoções e não elaboramos algo sobre elas, então estamos presos no mesmo padrão de estímulo e resposta."

Joe Dispenza

Todos os dias me pergunto como posso ser a melhor pessoa que poderia me tornar. Como ser a melhor versão de mim mesma?

As mudanças no mundo estão nos fazendo perder o fôlego, mas o que fazemos com nós mesmos diante disso tudo? Ficamos reativos? Podemos escolher o padrão de pensamento, de hábito e de vida que queremos para nós. E podemos fazer isso começando com a intenção.

A intenção pode ditar nossa realidade porque uma intenção positiva é capaz de criar uma nova energia em torno de algo que estamos prestes a realizar. Digo e repito sempre: energia não mente. Se uma pessoa tem uma má intenção disfarçada com uma carinha boazinha, logo sentimos e farejamos que algo está errado.

E o que há de errado?

O que os olhos não veem, o coração sente! É por isso que nossa intuição grita quando quer nos dizer alguma coisa.

É por isso que as intenções devem sempre ser verdadeiras. E jogadas para o Universo, para as relações e os projetos de forma genuína. Se eu escrevo este livro como forma de ganhar dinheiro, essa intenção fica impregnada no livro, mas se o escrevo com a intenção de mudar o mundo com cada palavra aqui colocada, essa intenção se materializa em forma de energia. O resultado? O leitor sente.

A mente pode se renovar através do esforço consciente da intenção positiva. Sua visão pode ser transformada. E se o seu passado foi reflexo dos pensamentos limitados que estavam acumulados em seu subconsciente, você passa a criar uma nova realidade quando aciona o poder da intenção, calibrada com a força do coração.

O brilho gerado pela força interna das nossas intenções preenche o coração de humanidade. Aquilo que colocamos como intenção nos faz renascer e transforma nosso meio ambiente.

Essa é uma lei de manifestação desse poder da intenção. Já percebeu que até mesmo a maneira como você decide enxergar a realidade acaba pautando a sua vida? Se sua intenção é sempre ter pessoas boas por perto, você naturalmente vive cercado de pessoas com boa intenção, e as que não estão conectadas com o que você tem como valor de vida acabam, naturalmente, se afastando, porque a energia delas é incompatível com a sua.

Nosso estado interno também precisa de cuidados. Não podemos deixar nossas intenções perderem o poder positivo. A felicidade nasce com a harmonia interna, e o ambiente externo é a projeção do que você cultiva dentro de si. Ação é fruto da intenção. A verdade da vida é alcançada quando corpo e coração estão alinhados. Do contrário, não existe despertar. Acesse a força curativa da vida através da sua intenção.

LIÇÃO 5

ENCONTRE COERÊNCIA ENTRE CÉREBRO E CORAÇÃO

"Damos o nome de coerência ao estado em que o coração, a mente e as emoções estão em cooperação e alinhamento energético."

Gregg Braden

Talvez você já tenha ouvido falar do Gregg Braden, um homem que, para mim, foi um mentor na arte de se conectar com o coração. Se ainda não o conhece, vou contar um pouco sobre ele.

Conheci Gregg Braden através de seus livros e tornei-me sua discípula depois de viajar para os Estados Unidos para encontrá-lo e aprender com ele sobre a teoria que embasava a inteligência do coração, algo que eu já sentia e aplicava em minha vida, mas que ainda precisava entender melhor.

A primeira coisa que ele ensina em seu curso é sobre coerência cardíaca, e ser coerente é ser coeso e harmônico. Quando falamos de harmonia interna, estamos falando de estar em paz com nós mesmos.

No Instituto HearthMath, na Califórnia, estuda-se cientificamente o estado dessa coerência entre cérebro e coração. O coração, no contexto de que falamos neste livro, não é um simples órgão que bombeia sangue para o corpo. Ele possui inteligência própria.

Quando existe equilíbrio nessa conexão, cria-se o que Gregg chama de estado de coerência, ou seja, quando o cérebro começa a enviar químicas curativas para o corpo, o sistema imunológico, e nos leva a atingir a calma interior. É nesses momentos de coerência que tomamos as melhores decisões e conseguimos enxergar tudo com uma clareza e um entendimento pautados pela inteligência do coração, e não da mente.

Batimentos cardíacos e ondas cerebrais podem entrar em sincronia de várias formas, mas a mais conhecida delas é a meditação. Ela ajuda a alinhar os impulsos do coração com comandos da razão. Buscar essa conexão é o que nos faz ativar a coerência.

Na teoria parece simples, mas na prática nem sempre é fácil equilibrar razão e emoção. Mas quer saber de uma coisa? O coração envia mais informações ao cérebro do que o contrário.

Um livro que amo, chamado *O poder do coração*, diz que o coração é mais que um órgão vital: ele é o centro dos sentimentos. Se acionamos essa coerência, nossa qualidade de vida melhora significativamente e nossa visão de humanidade se torna mais autêntica.

LIÇÃO 6

PENSE COM O CORAÇÃO

"Emoções positivas, inclusive aquelas que são autoinduzidas, transformam o sistema inteiro em um modo psicológico harmonioso e globalmente coerente, o que pode ser associado a uma melhoria na performance do sistema, na capacidade de autorregulação e num estado geral de bem-estar."

Rolin McCraty

A primeira vez que li que no coração existem cerca de 40 mil neurônios, eu fiquei perplexa. Afinal, o coração ser o centro das emoções, dos sentimentos e também saber pensar, é demais, não acha?

Diariamente, ele recebe milhões de estímulos, positivos e negativos. E nossas glândulas, como o timo, transformam esses estímulos em sensações. E o que o corpo faz? Reproduz o que pensamos e sentimos o tempo todo.

Faz pouco tempo que comecei a fazer massagens com um terapeuta de Ayurveda, filosofia indiana conhecida há mais de seis mil anos, e logo da primeira vez percebi que, após a massagem, havia algo diferente no meu corpo.

Conversando com o profissional, ele me disse que o corpo traduz em dores e bloqueios tudo aquilo que sentimos. Positiva e negativamente. E, através de estímulos físicos, ele consegue ativar glândulas importantes como o timo.

Certa vez, uma amiga disse que seu timo estava tão bloqueado que ela não conseguia sentir nada. Nem emoções tristes, nem felizes. Então, o terapeuta segurou naquele ponto, com a intenção de desbloquear essas emoções, e ela ficou chorando por dias, o que ele diagnosticou como uma limpeza. Depois disso, ela se sentiu mais leve e diz que voltou a "sentir".

Nosso corpo é uma máquina complexa que está totalmente interligada com as nossas emoções. Fisicamente, sentimos quando algo está nos machucando emocionalmente.

Muitas vezes, a causa de determinadas doenças pode estar relacionada àquilo que pensamos e sentimos. O corpo recebe tanto estímulo negativo que

produz descargas hormonais e entra em desequilíbrio.

E qual a função do coração nessas horas? Além de bombear nosso sangue pelo corpo, ele faz a ligação entre o sentimento e o pensamento, ou seja, ele é a ponte energética entre corpo e alma. Se pensamos com a mente, buscamos entender o que sentimos, e nem sempre isso é fácil.

O coração usa suas memórias, e se aprendermos a nutri-lo com amor e a ouvi-lo, ele se fortalece. Acessar a inteligência do coração não é nenhuma arte. Nascemos sabendo e desaprendemos ao longo da vida, de tanto acreditar nas ilusões que a mente conta para nós.

LIÇÃO 7

SEJA RESPONSÁVEL PELA SUA VIDA

"O homem, à medida que vai se tornando forte, passa a assumir cada vez mais responsabilidades. E, quando atinge um alto grau, a ponto de ser considerado um santo, sente-se responsável pela existência de uma só pessoa infeliz no mundo."

Filosofia Seicho-No-Ie

Certa vez, li que tudo o que acontece ao nosso redor somos nós que criamos. O fato de tomar um trem e sofrer um acidente e o fato de seguir o conselho de alguém e fracassar são da mesma natureza, já que embarcamos no trem que queremos embarcar, porque somos responsáveis por nossas atitudes.

Sendo assim, assumimos a responsabilidade por nosso destino, por nossas escolhas e pelas consequências dos nossos atos. Não podemos culpar os outros por algo dar errado. Devemos, ao contrário, assumir a responsabilidade por tudo o que nos acontece, o tempo todo, e quanto mais sintonizados estamos com a inteligência do coração, maiores são as chances de seguirmos o caminho certo — não que exista certo ou errado, mas entende-se como certo o caminho que escolhemos.

Em minha vida, já fiz muitas escolhas das quais me arrependo, e quando reflito sobre elas, percebo que foram decisões pautadas pelo ego ou pela razão. Não foram decisões tomadas com a luz do coração.

Comprometer-se com a própria felicidade e com a nossa missão de vida é olhar diariamente para o caminho que construímos e para o modo como estamos conduzindo nossas vidas. Dentro de nós existe uma força poderosa que atrai ou repele nosso destino, e ela é como um ímã que podemos usar em nosso favor. Quanto mais intimidade temos com nós mesmos e com os nossos ideais de vida, mais paz de espírito conseguimos e mais harmonia interna conquistamos.

O homem pode estar contra si próprio ou a favor de sua história. Você é responsável pela sua vida ou vive culpando os outros pelas coisas que não dão certo?

LIÇÃO 8

PROSPERIDADE É UM ESTADO INTERNO

"O dia de ontem é apenas um sonho; o dia de amanhã, uma simples visão, mas o dia de hoje bem vivido faz de cada dia passado um sonho de felicidade, e de cada dia futuro uma visão de esperança. Sejamos cuidadosos com o dia presente."

Do sânscrito

Muitas pessoas me perguntam como dou conta de tantas coisas. No trabalho, na vida pessoal, com uma filha pequena. Às vezes, a impressão é que meu dia tem 48 horas, mas a verdade é que me empenho a viver o dia de hoje apenas.

Sei que se quero construir um futuro próspero devo cuidar da minha energia, do meu estado interno, das minhas palavras, do meu pensamento, da maneira como me porto e interajo com as pessoas. No entanto, um passo de cada vez me aproxima dos resultados que quero obter, e isso é muito! Foi de realização em realização que entendi que a prosperidade é um estado interno da alma. Que podemos ser prósperos se agirmos, pensarmos e sentirmos com a tal coerência que citei uns capítulos atrás.

Porque se estamos pensando no amor e na abundância, naturalmente sentimos assim e agimos assim. Nos contagiamos positivamente e criamos alegria ao nosso redor iluminando a nossa vida.

Se praticamos atos de bondade, vamos cultivando vida e crescendo espiritualmente. Este é meu mantra: espalhar sementes de amor, de otimismo, de positividade. Isso é algo que faço constantemente nas minhas redes sociais porque quero ser responsável pelo estado positivo de quem está em alinhamento comigo.

Precisamos urgentemente alimentar a fome de amor e bondade do mundo; isso é viver de forma próspera. Isso é multiplicar a força que temos.

Meu objetivo diário é tornar a Terra um planeta de luz, onde as pessoas possam oferecer o que têm de melhor. Esse compromisso eu tenho comigo mesma diariamente. Meu modo de viver é totalmente alinhado com a abundância, e é esse o caminho que a prosperidade faz para me alcançar.

O resultado das nossas pequenas ações sempre se materializa. Prosperar é estar em sintonia com o que há de essencial no Universo: a vida, a saúde, a alegria, a bondade do ser humano.

Prosperidade é viver em sintonia com o Universo e com o coração.

LIÇÃO 9

SUA SAÚDE DEPENDE DE VOCÊ

"A variação da frequência cardíaca exerce enorme influência em nosso estado emocional e, como consequência, nos processos mentais conscientes que dele emergem."

Heart Anatomy

Todas as pessoas que conheço já ficaram doentes inesperadamente depois de momentos de muito estresse, e hoje falamos do cortisol como o hormônio que detona nossa imunidade.

Quando falo de saúde, digo que não podemos ter saúde se não tivermos o domínio das nossas emoções. Já percebeu que, quando a nossa mente está tomada por emoções destrutivas, nosso ritmo cardíaco fica mais acelerado?

O coração tem um papel fundamental em nosso bem-estar porque nossa condição de saúde muda conforme nossa frequência cardíaca. Isso acontece porque nosso coração produz hormônios e neurotransmissores que impactam diretamente a forma como sentimos. A ocitocina, conhecida como o hormônio do amor, é produzida no coração. E como se produz ocitocina? Produzindo momentos felizes.

Não é fácil ter essa consciência, mas quem tem filhos, por exemplo, pode se conectar com a criança com amorosidade através do abraço, dos gestos de amor. Também podemos agir amorosamente com nossos companheiros, para produzirmos ocitocina, bem como assistir filmes que impactam diretamente nossas emoções de forma positiva. E tem gente, inclusive, que produz esse hormônio através do contato com os animais de estimação.

Você pode produzir a sua cura através de sua harmonia interna. Por meio da meditação, por exemplo, somos capazes de regular nossas emoções, ter mais resiliência e, até mesmo, clareza nos pensamentos. Mas você também pode ficar predisposto a doenças se não estiver em harmonia consigo mesmo e conservar estados de medo, tensão e estresse.

O médico Edward Bach, criador dos Florais de Bach, sempre dizia que todos nós temos o controle da nossa saúde, do nosso corpo e da nossa mente. Podemos criar saúde ou doença, dependendo de como nos portamos diante da vida.

A pergunta que faço é:

Como você está se portando
diante da vida?

Tem sido acuado pelo medo
ou tem criado cenários positivos,
ouvindo o som da música da sua alma?

LIÇÃO 10

COLOQUE SEU CORAÇÃO EM TUDO

"O verdadeiro gênio sem coração não vale nada, pois uma grande capacidade de compreensão por si só, uma inteligência por si só, ou mesmo ambas reunidas são incapazes de fazer um gênio. Amor! Amor! Amor! Esta é a alma do gênio!"

Nikolaus Joseph von Joaquin

Muitas vezes, ouvimos a expressão "dedique-se de coração" e não a interpretamos de forma literal. Quando colocamos o coração em algo, a energia que fica impregnada naquilo é muito maior. A inteligência cardíaca nos conecta ao que há de mais poderoso.

Poucos sabem, mas, em comparação com o cérebro, o coração é cerca de 100 mil vezes mais forte eletricamente e até 5 mil vezes mais forte magneticamente. O mundo físico — como nós conhecemos — é feito desses dois campos de energia: campos elétricos e magnéticos.

Todos nós temos essa força interna, mas poucos a desenvolvem verdadeiramente. É o que alguns chamam de estrela, brilho — algo que faz parecer que a pessoa está em outra frequência, vibrando em outra intensidade.

Com tanta tecnologia à nossa volta, acabamos nos afastando desse GPS interno, que é uma espécie de sabedoria do coração. Isso quer dizer que as pessoas começarão a se diferenciar pelo aspecto humano.

A coerência do cérebro com o coração pode, inclusive, ser regulada quando fazemos três minutos de meditação e respiração por dia, pensando em algo que gere emoções de gratidão, compaixão ou amor. Dessa forma, conseguimos nos conectar com o nosso próprio coração.

Colocar o coração em tudo é colocar amor. Colocar força. Temos o poder da criação, e nossos sentimentos podem ser o combustível para propulsionar nossas vidas.

Se colocamos o coração em nossas ações, nosso trabalho, nossas relações, a vida ganha um colorido diferente e entregamos mais do que coisas mecânicas. Entregamos amor, energia, transformação. E somos instrumentos divinos através de cada microação.

Nosso destino é doar parte de nós. E receber mais do que doamos. Sempre em sintonia.

LIÇÃO 11

O SILÊNCIO COMO BASE DO SABER

"Em nossos momentos de amor, saúde e felicidade, já somos iluminados."

Deepak Chopra

Eu trabalho muito e adoro o que faço. E assim como todas as pessoas que amam o que fazem, porque estão realizando seu propósito, tenho a tendência de trabalhar mais do que deveria.

Certo dia, percebi que, no corre-corre da vida, eu estava deixando de lado minha principal característica: minha intuição, minha capacidade de entender o que meu coração dizia, e, de repente, eu perdia o fio da meada. Então, passei a introduzir, no meio da semana, pequenas pausas que se tornaram dias inteiros de *day off*. Eu entendia que silenciar a mente fazia com que eu observasse com mais atenção aquilo que meu coração queria me dizer.

O silêncio num dia conturbado, onde tudo acontece lá fora, é estar presente para a pessoa mais importante do mundo: você. Só com ele podemos ouvir a voz interior nos dizendo aquilo que precisamos ouvir, mas que nunca paramos para escutar.

Durante a minha adolescência, sempre fui aquela menina que escrevia cartas dentro do quarto e lia tudo quanto é tipo de livro. Introvertida, eu estava acostumada a olhar para dentro. Conforme fui crescendo e deixei de ser aquele patinho feio que eu achava que era, passei a enfrentar o mundo com outra atitude, mas conservei aquela Patricia que ainda gostava de se recolher em seu canto e ouvir a voz do coração.

Silenciar diante de uma vida tão atribulada é um remédio para que possamos acessar a nossa alma e entender quais são os poderosos próximos passos para avançarmos na vida.

A pausa é tão necessária quanto a caminhada. É ela quem te fortalece para seguir adiante.

LIÇÃO 12

A PUREZA DE CORAÇÃO DEIXA ELE MAIS INTELIGENTE

"Bem-aventurados os puros de coração, porque verão a Deus!"

Jesus

Sempre gostei de crianças, e uma das minhas atividades preferidas, mesmo antes de ser mãe, era chamar meus sobrinhos para ficarem na minha casa. Sempre admirei nas crianças a capacidade que elas têm de se encantar com a vida, de serem alegres na alegria e tristes na tristeza. De serem puras. A pureza de coração foi outro tópico que sempre me chamou a atenção.

No mundo corporativo, e diante das pessoas com as quais convivi durante eventos e entrevistas, sempre me deparei com algumas surpresas. Adultos tão amargos que não sabiam se relacionar com ninguém. Pessoas com almas sem vida e, muitas vezes, cheias de dinheiro.

A pureza de coração é algo que não se desenvolve da noite para o dia. É como voltar a ser criança, entendendo a simplicidade de enxergar as coisas, ignorando a maldade nas pessoas e observando tudo com encantamento e alegria.

Estar no momento presente também é uma característica dos puros de coração, mas isso não é algo que se ensina, é algo que se vive.

Depois que me tornei mãe, meu coração se abriu ainda mais para essa energia. Meus olhos ficaram mais doces; minha intenção, mais pura; e eu passei a intensificar a atitude pura, que nada mais é do que buscar a simplicidade de espírito em tudo o que eu vivia.

A vida ficou mais leve e eu passei a entender melhor o que ela queria de mim, que movimentos eu precisava fazer, mas, sobretudo, os que eu precisava deixar de fazer.

Porque ser puro é simplesmente SER. Como quando éramos crianças.

LIÇÃO 13

ENERGIA NÃO MENTE

"Todo momento da vida é infinitamente criativo, e o Universo traz graças sem fim. Basta apenas pedir claramente, e tudo o que seu coração deseja vai vir para você."

Shakti Gawain

Eu sempre digo como a energia é o combustível para todas as nossas realizações e como, muitas vezes, a desperdiçamos de forma inadequada. Ficamos presos nas preocupações e o que acontece? Absolutamente nada. É só um tormento mental que cria as mais loucas teorias da conspiração em nossa cabeça.

Porém, de algum tempo para cá, eu decidi cuidar da minha energia como minha maior fonte de força. Cuidar quer dizer o seguinte: todos os dias eu tenho um tempo reservado na minha agenda para alguma prática capaz de fazer a manutenção da minha energia.

Nessa linha de terapias estão Acupuntura, Shiatsu, Florais, Reiki, massagens, meditação — e assim, de uma forma bem simples, eu passei a perceber que quanto mais investia em minha manutenção energética, mais força tinha para ir adiante na vida profissional. Era como se as portas se abrissem.

Quem quer gastar menos energia para ter mais resultado deve ter algo em mente: não é preciso agir mais. O poder está em nossa presença. Na nossa energia e vibração. Isso não tem nada a ver com o que dizemos ou fazemos. É sobre a energia e a intenção que temos por trás disso.

Por isso, eu pergunto: seus pensamentos estão impregnando seu campo de energia com o quê? Porque você pode até tentar fazer as pessoas acreditarem no que você diz, mas energia não mente, e nosso maior aliado para ter essa percepção na comunicação é o coração. Ele é como uma antena que transmite e emite força. E é essa força que pode mudar tudo.

Então, transborde energia positiva. Crie sua realidade a partir da energia que emana. Sinta, pense e vibre com a mesma força.

Você é responsável pela energia que emana. Logo, é responsável pelos resultados que acontecerem com você.

Esse é o seu poder.

LIÇÃO 14

O MUNDO É UMA TELA

"O mundo não é nada mais que uma tela para a nossa imaginação."

Henry David Choreau

Eu faço telas mentais há muito tempo. Comecei a fazer colagens de fotos em grandes telas e brincar de criar a realidade, sempre intuitivamente. Porém, em algum momento eu coloquei minha energia e meu coração naquilo. E, ao mesmo tempo que o fiz, entendi que podia potencializar as minhas criações com a energia do coração.

Comecei a ler sobre isso com mais frequência, procurei aprender tudo sobre mecânica quântica e passei a estudar mais a respeito desse fenômeno. Era quase mágico, mas existia uma explicação por trás daquilo tudo.

Eu mentalizava cada situação, através das fotos que via, antecipava o futuro e acessava a frequência correta para alinhar mente e coração, vibrando na frequência da realização de milagres. Essa alteração de consciência, que geralmente acontece quando estamos apaixonados, é a responsável por concretizar certos desejos. Ou você nunca percebeu que quando estamos amando alguém tudo parece mais fácil? A vida parece fluir de outra forma.

A verdade é que a energia do amor tem a sua força correspondente — e agora chega o momento de explicar sobre minhas telas mentais. Eu colava fotos de pessoas que queria entrevistar e muitas vezes nem pensava em como aquilo iria se concretizar. Eu literalmente jogava a intenção para o Universo.

Foi assim que entrevistei grandes nomes como Warren Buffet e estive com o ex-presidente norte-americano Barack Obama num encontro de mais de uma hora, intermediando uma conversa entre ele e o craque Pelé. Era através da mentalização na frequência do amor que eu entendia que tudo aquilo que eu pensava poderia vibrar com a energia correspondente e, então, se realizar.

Por isso, hoje, pergunte a si mesmo qual é o seu maior desejo. O que você quer concretizar em sua vida? Crie mentalmente essa realidade. Mas lembre-se: de nada adianta fazer a criação com a mente e não entrar na frequência do amor e da gratidão, que é a que viabiliza todas as realizações.

Só conseguimos materializar aquilo que está intrincado dentro de nós. Não há como inventar nada novo se estamos cheios de lixo interno. Se estamos magoados, aborrecidos, amedrontados, com raiva. A vida corresponde aos nossos sentimentos, e precisamos compreender por que estamos vivenciando sentimentos destrutivos quando estivermos cheios deles.

Se você quer manifestar algo, crie uma realidade interna mais colorida. Troque o filtro interno, faça uma limpeza, uma faxina em tudo o que te incomoda aí dentro. Chore, se preciso. Limpe a mágoa, escreva cartas para as pessoas que você tem raiva e precisa perdoar.

Aí sim manifeste suas vontades numa tela mental. Aí sim esteja munido de sentimentos bons para preencher com cores aquele quadro que irá se tornar o seu quadro da vida.

Você merece ser feliz. Nunca se esqueça disso.

LIÇÃO 15

SAÚDE PODE SER FRUTO DO PENSAMENTO?

"Pensamentos depressivos causam alterações químicas em nosso corpo. Uma vez que controlamos conscientemente os pensamentos, podemos ter saúde e felicidade."

Deepak Chopra

Tudo no Universo é energia. O que pensamos e fazemos vibra em determinada frequência, e essa frequência influencia nosso estado físico. As pesquisas mais recentes comprovam que existe uma tabela de frequência vibracional medida em mega-hertz (MHz), e quanto mais baixa a frequência, mais estamos suscetíveis a doenças.

O que faz nossa energia baixar? Medo, pânico, estresse e tudo o que reduz nossa energia vital, e isso significa portas abertas para doenças. Nosso corpo deve ficar numa frequência de 62 a 78 MHz. Abaixo disso, estaremos mais suscetíveis a gripes e resfriados. Por isso, a dica é sempre alimentar a mente com o que nos deixa felizes, entendendo que pensar é exercitar a química cerebral, induzindo a secreção hormonal em várias regiões do cérebro.

Só para que você tenha uma ideia, a raiva pode acelerar seus batimentos cardíacos, alterando sua frequência vibracional. E os pensamentos alteram as moléculas. Deepak Chopra diz que não há um único pensamento distorcido sem que haja também uma molécula distorcida.

Pensar positivo, ter amorosidade, cultivar amizades, ter compaixão produz estados transmissores e hormônios pelo sistema nervoso central. Os pensamentos positivos efetivamente aumentam nossa imunidade. Contudo, para isso, é preciso que esses pensamentos sejam constantes a ponto de agirem sobre os neurotransmissores.

Hoje, mais do que nunca, eu sei quando a minha energia está caindo, quando minha frequência está desequilibrada e preciso recorrer a terapias que me façam sentir mais alegre novamente.

Saúde é reflexo do seu bem-estar interno. Cuide-se, mas cuide primeiro dos seus sentimentos, pois o que você sente influencia diretamente seus pensamentos, e entenda que somos seres extraordinários, capazes de alterar qualquer realidade, principalmente dentro de nós.

LIÇÃO 16

BRILHAR DEPENDE DE VOCÊ

"A felicidade não está nas circunstâncias por que passamos, mas em nós mesmos. Não é algo que vemos como um arco-íris ou sentimos como o calor de uma fogueira. A felicidade é algo que somos."

John Sherin

Você sabe que temos um campo de energia eletromagnética que nos rodeia, certo? Sabemos que ele existe, mas não podemos vê-lo com nossos olhos. A mesma coisa acontece com os sinais de rádio e TV. Sabemos que eles existem, mas não os vemos. Porém, quando ligamos a TV em determinada frequência conseguimos assistir algo que é transmitido por ela.

Um cientista chamado Candance Pert diz que as endorfinas são opiatos naturais encontrados em nosso cérebro e que agem como mecanismo de filtragem. Segundo ele, cada organismo evolui de modo a ser capaz de detectar a energia eletromagnética que será mais útil à sua sobrevivência.

Todos nós temos nossa janela para a realidade, mas experimentamos apenas uma fração dela. Contudo, não é porque não vemos o nosso campo que ele não existe. Hoje em dia existem muitos tratamentos de saúde complementares nos quais os pacientes são tratados apenas em seus campos. A atuação vibracional é feita para curar o campo do paciente, e não somente o físico, porque quando a cura do campo é feita, aquele paciente tem sua saúde restabelecida.

Já conheci pessoas com doenças tidas como incuráveis se não houvesse a ingestão de remédios, mas elas decidiram não intervir através da alopatia. Nada contra medicamentos, inclusive sou casada com um médico! O que eu quero dizer é que é perfeitamente possível que a causa de muitas doenças esteja no campo energético e vibracional.

Quando olhamos para isso, entendemos que somos feitos de energia. E que brilhar, viver de maneira fluida, depende de nós. Depende de ajustes de sentimentos, pensamentos, ações, atitudes e confiança na vida.

Estar na frequência certa é quase como criar uma sintonia entre nosso coração e a essência divina, que nos fez em perfeição e nos traz a possibilidade de cocriarmos nossa vida da maneira que quisermos.

Seja a luz que você busca para transformar o mundo.

LIÇÃO 17

NÃO SOBRECARREGUE SEU CORAÇÃO

"Um coração despreocupado vive muito."

Wiliam Shakespeare

O coração é como um ímã. E o que se atrai quando estamos com preocupações na mente e coração apertado? Uma sobrecarga no órgão mais importante do seu corpo.

Certa vez, li num livro sobre ioga que três condições podem sobrecarregar o coração de maneira especial. **A primeira** é a negação da sua espiritualidade, porque é pelo coração que entendemos o sussurro de onde está o nosso rumo. **A segunda** coisa que sobrecarrega o coração é a suspeita de que o contato com as esferas positivas traz uma felicidade que não somos capazes de suportar. E **a terceira** e mais importante: desviar-se de uma missão de responsabilidade.

Nossa mente inventa milhões de justificativas para ocultar o que está escrito na nossa carta de intenções que fizemos antes do nosso nascimento, aquela carta com a qual nos comprometemos com nossa missão de alma. Por isso, muitas pessoas, quando se aproximam da realização de suas missões de vida, vivenciam crises e começam a se autossabotarem. É como se tudo parecesse mais difícil do que realmente é, e se não usarem toda a força mantida dentro do coração, a expansão de horizontes e abertura da vida não se revelam.

Uma das formas de não sobrecarregar o coração é ter o pensamento sempre elevado. Isso faz com que ele fique aceso, como uma fogueira que acende o calor da coragem. E para que essa chama se mantenha acesa diante das geadas da vida, é necessário sempre manter vivo o sentimento que a reaviva.

Já percebeu que em certas épocas do ano o coração fica mais "quentinho"? No Natal, quando ficamos mais generosos, expandimos a força do coração, do chakra cardíaco, e o bem irradia intencionalmente de dentro de nós.

Nessa época do ano, ficamos cheios de saúde, sorrisos e bem-estar, e ativamos a cognição do coração. Essa capacidade cognitiva é capaz de multiplicar a leveza em você e expandi-la no mundo. Sua presença, ao invés de sobrecarregar o ambiente, eleva todos os lugares por onde você passa. Você se torna o tônico na vida das pessoas com as quais interage, mas sem se sentir esgotado por isso.

Você passa a entender que pode criar a sua própria energia de paz e bem-estar, gerando o bem ao próximo, criando ambientes multiplicadores de bem-estar e usando sua capacidade para fazer com que cada um ao seu redor acesse sua própria missão de alma.

LIÇÃO 18

ASSUMA SEU PAPEL DE CRIADOR

"Somos criadores — e mais que isso ainda, somos criadores e estamos interligados."

Gregg Braden

Como contei no meu primeiro livro, sempre materializei tão rápido as coisas que eu queria em minha vida, que em determinado momento comecei a perceber qual era a afinidade entre os eventos — desde conhecer meu marido, até as conquistas profissionais e coisas simples, como ganhar presentes inesperados que eram exatamente aquilo que eu estava pensando em comprar.

Quando estamos sintonizados com nosso papel de criadores, podemos criar qualquer realidade. Você certamente já deve ter feito coisas como ligar para alguém que diz que estava pensando em você, ou vice-versa, e ter tido sensações de déjà vu.

Gregg Braden, que é um grande estudioso desses fenômenos, diz em seu livro *A Matriz Divina*, que em tais momentos de conectividade e déjà vu nos encontramos, espontaneamente, transcendendo os limites impostos pelas leis físicas. Nas palavras do próprio Gregg Braden:

Nesses breves instantes, somos lembrados de que provavelmente existe mais sobre o Universo e sobre nós do que possamos conscientemente conhecer. Esse é o mesmo poder nos dizendo que somos mais do que simples observadores neste mundo. O segredo para nos experimentarmos nesse sentido é criar essas experiências intencionalmente — é ter percepções transcendentais quando bem desejarmos, em vez de apenas quando elas parecem "acontecer".

Para ele, tudo se resume ao que acreditamos sobre nós mesmos e sobre o papel que acreditamos desempenhar no Universo.

Somos, literalmente, criadores, e podemos criar nossa realidade de forma intencional. Em um dos cursos de Gregg que participei ativamente, ele disse que, como parte de tudo o que vemos, somos participantes de uma conversação em andamento — um diálogo quântico — com nós mesmos, com nosso mundo e além dele. Dentro dessa troca cósmica, nossos sentimentos, emoções, orações e crenças de todo instante representam nossa fala ao Universo. E tudo, da vitalidade de nosso corpo à paz em nosso mundo, é o Universo nos respondendo.

Gregg ressaltou que o simples ato de colocar foco na consciência é um ato de criação, porque a consciência cria.

A pergunta que fica é: de que forma você está criando sua realidade? Onde você está colocando foco em sua vida? Você é 100% responsável por tudo aquilo que acontece com você.

Assuma-se um criador e dedique-se conscientemente para criar a realidade que quer viver.

LIÇÃO 19

SINTA, FAÇA E SE CURE

"Tudo o que fazemos e dizemos cria nosso futuro."

Louise Hay

Nossas vidas seriam diferentes se escolhêssemos cada momento, cada emoção, pensamento e ação. Em vez disso, ficamos ocupados no celular, enviando mensagens, assistindo algo que não nos acrescenta, olhando para fora ao invés de olhar para dentro.

Poucas pessoas percebem o próprio potencial. Elas acham que é lá fora que as coisas irão se resolver. Acreditam que o poder está fora delas quando, na verdade, está dentro.

Mas e se você começar a pensar de forma diferente?

Louise Hay dizia que somos totalmente apoiados

pelo Universo quando seguimos nossos sonhos, nossas paixões e nossa orientação interior. Isso deve ser espontâneo, porque acabamos atraindo em nossa vida a abundância, se estivermos dispostos a contemplar a presença dela em nossas vidas.

A ciência já apoia que não há uma única pessoa que não possa melhorar sua qualidade de vida. Quanto mais entendemos como ela funciona, melhor fica. As coisas se desdobram à nossa frente e tudo se torna extraordinário.

Nós podemos decidir se as coisas serão boas. É como moldar as nossas crenças — mas, muitas vezes, não sabemos que podemos moldá-las. Não sabemos que podemos mudar nossa trajetória, que podemos manifestar tudo o que queremos, que temos o poder de colocar força nos pensamentos e palavras e realizar aquilo que desejamos internamente através de afirmações positivas.

Dizer coisas positivas sobre você mesmo é uma das melhores ferramentas que podem alavancar sua vida. Cultivar pensamentos, sentimentos e atitudes boas é como semear uma semente no solo: você semeia e espera brotar.

É uma nova linguagem que você estabelece com o mundo.

Então, em determinado momento, o campo de energia é criado, e suas palavras se tornam propostas para o Universo, como se você se abrisse para o seu potencial ilimitado.

Faça afirmações. Na hora que fizer, você permitirá que elas aconteçam. Não é sobre palavras. É sobre vibração colocada nas palavras. As emoções ampliam as afirmações.

Tente programar sua mente, suas palavras, seus pensamentos, para criar sua realidade conscientemente. Tenha consciência disso e torne-se quem você nasceu para ser.

LIÇÃO 20

CULTIVE O HUMOR

"A viagem pelo caminho da transformação espiritual nem sempre é suave, de modo que é importante levar consigo o seu senso de humor."

Terry Lynn Taylor

Nos momentos de maior dificuldade em minha vida, sempre tentei buscar a leveza. Acredito que o humor pode nos livrar de qualquer situação obscura ou difícil. É claro que em algum momento sentimos dor e caímos num misto de tristeza e decepção com nós mesmos, mas cada vez mais aprendo que o modo como enfrentamos os desafios é que conta.

O foco no resultado positivo é como reeducar nossa mente para hackear nosso sistema interno. Isso faz com que olhemos tudo sob outra perspectiva.

Muitas vezes, parece que estamos sozinhos nessa jornada. Não encontramos pessoas conscientes, estamos diante de gente que não compartilha dos mesmos ideais que os nossos e isso nos deixa mais distantes do que queremos, porque não temos as mãos de outras pessoas ao nosso redor.

Por isso, é importante ter a mente tão firme que ela seja um escudo para o seu coração. Quando você cria novas crenças para sua vida, essa proteção se torna indestrutível. E a melhor maneira de criar esse escudo é através do humor. O humor autêntico nos aproxima da leveza para encarar tudo com doçura e perspicácia, e essa harmonia interna traz conforto em qualquer situação.

Há uma diferença entre encontrar mais humor na sua vida e se divertir à custa de alguma coisa. Estar mais próximo do humor é eliminar do seu comportamento a mania de criticar, de se queixar sem motivo, de tratar de assuntos polêmicos em grupo. E o mais importante: é manter sua autenticidade nesse processo, porque você condiciona a si mesmo a ter uma presença de espírito diferente. Trata-se de uma nova postura diante da vida, que é a decisão de levar tudo de maneira mais leve.

Devemos escolher as coisas que queremos ter, e o bom humor é uma questão de alcançar pensamentos melhores.

Você tem dado contribuições positivas para o mundo? Tem criado situações em que pode ser útil ou amoroso com as pessoas ao seu redor? Isso pode torná-lo uma pessoa diferente, simplesmente porque você cria uma corrente de energia positiva em torno de si.

É possível viver a sua vida desse modo. É possível contribuir com o mundo e ficar bem para receber de volta também.

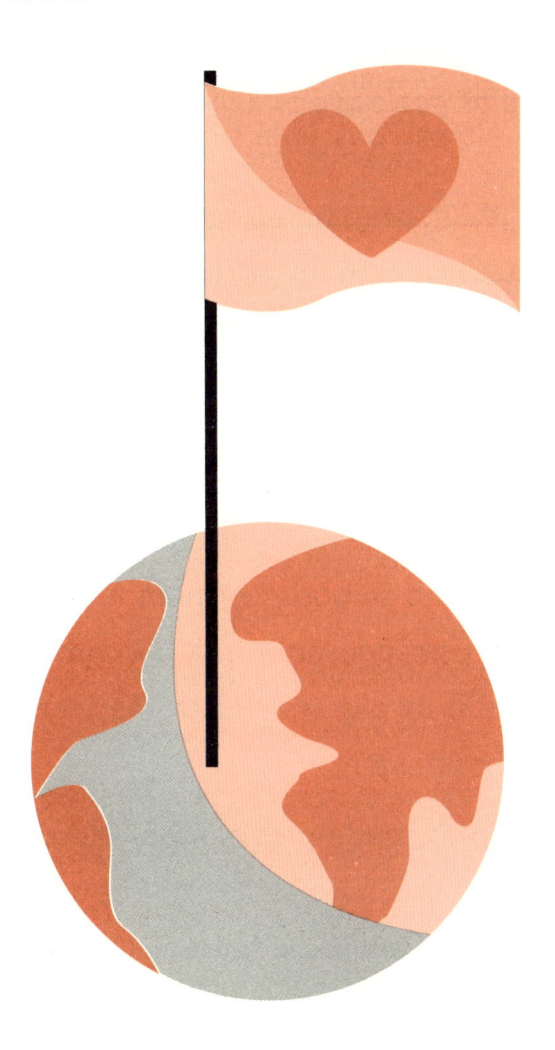

LIÇÃO 21

TENHA UM POTENCIAL ILIMITADO

"Você tem que tornar o seu sonho futuro um fato presente sentindo a emoção do seu desejo já satisfeito."

Profeta Neville

Quando pensamos com o coração, o nível de DHEA (desidroepiandrosterona) aumenta e proporciona equilíbrio hormonal. O batimento inconstante do coração se normaliza e entramos num padrão de onda, como se pode ver num monitor de onda cardiovascular. Esse padrão é que faz com que o coração seja chamado de o grande eletromagneto que afeta o restante do organismo.

Os pensamentos mudam os campos elétricos e magnéticos do nosso coração, e esses campos mudam as coisas de que o nosso mundo é feito. A ciência está mostrando que somos capazes de mudar o campo de um átomo e mudar o próprio átomo.

Quando colocamos sentimentos no coração, podemos mudar a maneira como tudo é feito e alterar a realidade física. Tudo fica parecendo um milagre, e é esse estado que nos faz ter um potencial ilimitado. Os músculos relaxam, o sistema nervoso se equilibra e passamos a fazer tudo com mais eficiência.

De acordo com a tradição sânscrita, temos sete sistemas de energia. Os três superiores estão relacionados à lógica, mas a emoção vem dos centros criativos do corpo, e quando imbuímos o pensamento em nossas vidas, essas energias se encontram.

Esse centro é o coração.

Ninguém inspira por ser doente ou triste. Nós inspiramos quando cocriamos nossa própria realidade e somos verdadeiramente felizes. Precisamos nos comprometer com isso para sermos capazes de manifestar aquilo que queremos.

LIÇÃO 22

O PULO DO GATO É SENTIR

"Não podemos afirmar que estamos vivendo um mundo objetivamente como ele é. Não existe essa avaliação completamente objetiva de nada porque nossa avaliação de tudo está relacionada com experiências prévias e emoções. Tudo tem um peso emocional associado."

Daniel Monti

Talvez você já tenha ouvido falar do hipotálamo, uma fábrica de compostos químicos que correspondem a determinadas emoções que experimentamos. Cada emoção tem um composto químico associado, e é a absorção dele pelas células do nosso corpo que dá origem ao sentimento que chamamos de emoção.

As emoções são o tempero da vida, mas elas também podem colocar tudo a perder. Muitos de nós somos dependentes de emoções negativas, e isso pode ser ruim, já que emitimos frequências específicas para determinadas emoções. Mesmo que nosso cérebro esteja pronto para sonhar novos sonhos, manifestar novas realidades, a única coisa que pode nos sabotar é o que sentimos, porque não basta pensar positivo. É através do sentimento que chegamos na frequência que queremos atingir.

Algumas pessoas estão viciadas em se sentirem mal. Outras são emocionalmente dependentes de determinados estados emocionais. A verdade é que o que sentimos pode ser a transição de uma vida de fracasso para uma vida de sucesso.

"Mas como?", você deve estar se perguntando.

A verdade é que se nos esforçamos para projetar uma nova vida e alimentamos esse projeto dia após dia, ele fatalmente acontece. Não precisa ser uma mudança de sentimento do dia para a noite, mas é uma chave que você vai girando, todos os dias, como se quisesse condicionar a si mesmo a ser feliz.

Você pode começar praticando um hobby que ame e sentir-se bem com ele; pode dedicar-se a meditar todos os dias ou fazer outras coisas que lhe façam bem. Com o tempo, seu cérebro reconhecerá aquilo como algo promissor.

Tudo começa pelo pensamento, que emite um sentimento, e a partir daí você se compromete a diariamente gerar uma ação que provoque aquele sentimento. É ele que vai elevar você, que criará um trilho para que sua vida caminhe rumo à mudança.

Para isso, é importante que você esteja atento ao que sente quando se perguntar "O que eu desejo intensamente?" Anote a emoção que surgir, medite a respeito dela e entenda que passar um tempo consigo mesmo para descobrir o que você sente em relação a cada sonho que quer realizar pode mudar todo o jogo, porque é a maneira como você se sente em relação aos seus sonhos que desencadeará situações que provocam sua realização.

É muito mais do que pensar positivo.

O pulo do gato é sentir.

LIÇÃO 23

CONSTRUA SUA MARÉ DE SORTE

"A sabedoria dos místicos previu há séculos o que a neurologia agora mostra ser verdade. Um ser absoluto e unitário, o 'eu' se mistura ao outro; a mente e a matéria são um e o mesmo."

Andrew Newberg

Já falamos aqui que os bons sentimentos movimentam tudo o que você deseja, certo? O ciclo é mais ou menos assim: sentimentos bons trazem mais daquilo que você deseja, que atrai mais bons sentimentos e mais daquilo que você deseja. É como um *looping* de projetos bem-sucedidos que costumamos chamar de maré de sorte.

A tal maré de sorte que vemos muita gente bem-sucedida viver nada mais é do que a vida correspondendo à frequência de vibração do coração. Se, literalmente, vibrarmos com as conquistas que tivermos, é natural que tenhamos ainda mais conquistas.

Quando amargamos derrotas, acontece o mesmo. É como um ciclo descendente. Mas como ativar esse ciclo de prosperidade quando estamos numa maré ruim?

Eu, assim como qualquer pessoa, também tenho meus dias ruins. Mas, depois de entender como funcionam as leis do Universo, decidi que as usaria a meu favor.

Como sabemos que a lei da gravidade existe, nós não precisamos jogar um copo de vidro no chão para ver se ele vai quebrar, certo? O mesmo princípio se aplica aqui: para viver a magia da vida é preciso estar atento aos pensamentos, sentimentos e ações — que devem estar integrados —, sempre passando pelo canal do coração, que nos reconecta à provisão infinita e nos coloca na energia do amor.

A forma como nos sentimos em cada momento da nossa vida é mais importante do que tudo, já que é através dela que criamos uma nova realidade. Criamos um novo filtro para enxergarmos a vida, e não quer dizer que fingimos que nada de ruim acontece. Acontece, sim, mas a diferença é que não colocamos tanto peso nos acontecimentos ruins a ponto de eles nos desequilibrarem emocional e energeticamente.

É como subir uma escada: conforme vamos subindo, **vamos vendo coisas que não conseguíamos enxergar quando estávamos embaixo**. Lá do alto, olhamos os problemas e eles ficam menores. Mas, se os olhamos de perto, no mesmo patamar, eles ficam mais difíceis e nos desesperamos.

Subir a escada é como subir a sua frequência de energia — e isso é obtido quando você dá atenção ao que sente e pensa, sintonizando numa nova frequência que permite agir em harmonia, e não apenas reagir aos acontecimentos externos, criando uma bola de neve de caos em nossa vida.

Decida construir uma vida de magia. Você tem a varinha de condão dentro de você. Eu não duvido disso.

LIÇÃO 24

MUDE A SINTONIA

"Qual a definição de um milagre?
Alguma coisa que acontece fora da convenção,
fora do que é socialmente aceitável, cientificamente
aceitável, religiosamente aceitável. E exatamente
fora disso é onde o potencial humano existe.
Como chegamos lá? Temos que superar os estados
emocionais em que vivemos diariamente.
Nossa própria dúvida pessoal. Nossa própria
desvalorização. Nossa própria letargia e fadiga.
Nossas próprias vozes que dizem que não
somos merecedores ou que é impossível."

Joe Dispenza

Você, assim como todo mundo, já deve ter acordado com o pé esquerdo. O resultado disso é que quanto mais mal-estar você sente, maior a probabilidade de se deparar com acontecimentos ruins e inesperados ao longo do dia.

Contudo, basta mudar a sintonia que você conseguirá captar com seu radar tudo que está na frequência ideal para você. Assim que entendi isso, consegui identificar o que me deixava numa sintonia boa e o que me fazia entrar numa sintonia ruim.

Agradecer pelo que eu tinha, ao invés de reclamar do que não tinha, era como apertar o botão de um interruptor de luz. Então, na época, fiz um caderno de gratidão. Escrevi nele todos os meses e comecei a vender e compartilhar através do meu canal. Foi um verdadeiro sucesso.

Hoje tenho como hábito acordar, escovar os dentes e escolher como quero sintonizar o meu dia. Então, começo com o exercício da gratidão, meditação e atividades físicas. E se alguém vier com a história de que é fácil para mim, experimente acordar mais cedo que uma filha pequena, mesmo se levantando durante a noite.

Precisamos alimentar nossa alma e nosso espírito com as coisas que a gente consome. Precisamos agradecer e mudar a frequência da energia que emitimos.

A apresentadora Oprah Winfrey diz que, desde que começou a ser grata pelas pequenas coisas que tinha, quanto mais gratidão sentia, maior se tornava sua riqueza. Ela diz que isso acontece porque aquilo em que você se concentra se expande; portanto, quando você se concentra no que há de bom em sua vida, você cria mais do mesmo. Uma enxurrada de oportunidades, relacionamentos e até mesmo dinheiro passou a ir em sua direção quando ela aprendeu a ser grata por tudo que acontecia em sua vida.

Hoje eu pratico a gratidão todos os dias e, ao olhar para a Patricia que não fazia isso, não entendo por que não tinha me conectado com essa energia antes. Se deixarmos que a vida nos sufoque, com o passar do tempo vamos perdendo o que há de mais sagrado dentro de nós. A gratidão cura, abre portas e tem um poder mágico. Como diz o Alcorão, "ser grato ou ingrato é uma escolha sua". Então, que tal levar contigo essa fórmula de sucesso?

Eu escolhi essa rotina porque, para mim, fazia sentido mudar a minha sintonia antes de começar qualquer compromisso profissional. Hoje vejo pessoas acordando de qualquer jeito, levantando-se da cama com reclamações, lendo notícias e sintonizando em qualquer coisa ao invés de escolher no que querem sintonizar. Se você não escolhe sua sintonia, fica refém de tudo: do humor das pessoas, dos acontecimentos externos, das notícias, da televisão, do companheiro.

Entenda de uma vez por todas: a única pessoa responsável por mudar a sua vida, sua energia, sua vibração, é você. Ninguém vai puxá-lo de um buraco escuro, resgatá-lo quando você estiver reclamando da vida. Como diria Chico Xavier, sua reclamação não vai fazer com que as pessoas tenham mais simpatia por você. Mesmo assim, vivemos acreditando que a sintonia da derrota, do "Oh, as coisas não dão certo pra mim, sou uma vítima do mundo!", é a que faz com que os outros tenham pena de nós.

Eu escolhi viver a minha vida numa frequência de sucesso, realizações e vitórias, e não deixo as críticas me abalarem. É a partir dessa escolha que se cria uma aura de autoconfiança. É a partir dessa decisão que você efetivamente ancora sua energia numa sintonia que está equivalente a bons acontecimentos.

Sintonize com consciência.

LIÇÃO 25

PURIFICAÇÃO PARA SENTIR-SE MELHOR

"Purifica teu coração antes de permitires que o amor entre nele, pois até o mel mais doce azeda em um recipiente sujo."

Pitágoras

Hoje vivemos intoxicados: física, emocional e energeticamente. As toxinas físicas entram em nosso corpo através de remédios alopáticos que as pessoas muitas vezes tomam de maneira irresponsável, da alimentação industrializada, da pobreza de nutrientes.

Mas, além disso, também vivemos a era das toxinas mentais. Elas intoxicam e envenenam nossa mente e nos deixam sem alegria de viver. Quantas pessoas você conhece que estão paralisadas diante do celular, reclamando da vida, fazendo das preocupações cotidianas o centro das atenções?

Viver com toxinas mentais, físicas e emocionais o tempo todo é viver uma vida paralisante. Precisamos purificar nosso corpo, mente e espírito se quisermos sintonizar com a inteligência do coração.

Quando vivemos desconectados do centro do coração, vivemos as relações como negócios ou intercâmbio de interesses. Nos aproximamos daqueles que podem nos oferecer algo e, quando percebemos, o jogo está tão intoxicado com essa dinâmica, que pouco discernimos o que são relações de verdade. Por outro lado, quando estamos conectados ao coração, sabemos o que é de verdade e o que é de mentira. O que é ilusão e o que é algo que nos alimenta.

Quando nos comprometemos com o processo de purificação de corpo, mente e espírito, aprendemos a usar o coração como ferramenta para nos dizer para onde ir.

O filósofo e mestre Rumi já dizia: "Seu coração sabe o caminho. Corra nessa direção." E não há verdade mais absoluta do que essa.

Somos felizes quando estamos bem conosco mesmos, sem distrações externas, com intenção positiva, autonomia e autoconfiança, focados na limpeza do coração amargurado, sem alimentar rancores e mágoas, colocando cor em nossa vida.

Para descontaminar o coração, basta ter hábitos saudáveis: cuidar da saúde física, emocional e mental, dormir bem, desejar o bem aos outros, favorecer a felicidade do próximo, ter disciplina, entrar em contato com a natureza, sorrir.

Dizem que dentro de cada um de nós há um coração nobre. Esse coração pode mudar o mundo. Um coração purificado pode promover a paz, enquanto um coração triste e sem vida só oferece sombras, tristeza, suga a energia dos outros e torna os ambientes mais tóxicos e com astral negativo.

A força universal do amor é a frequência vibratória da criação, e ela pode ser a sua porta para o divino se você purificar e preencher seu coração com amor incondicional.

Pare de tentar preencher um vazio. Purifique o coração e coloque um novo colorido em sua vida.

LIÇÃO 26

SUA TECNOLOGIA É VOCÊ QUEM REPARA

"Se me derem oito horas para derrubar uma árvore, eu passo sete horas afiando o machado."

Abraham Lincoln

A tecnologia do futuro tem nome: *Heartmath*. E as técnicas e lições que eu apresento neste livro comprovadamente ajudam a melhorar nossa energia e o modo como nos relacionamos com o mundo. Como você pode reparar seu corpo através de sua tecnologia?

Para começar, é bom entender um pouco sobre como funciona nosso organismo: o sistema nervoso autônomo controla mais de 90% das funções do nosso corpo. Ele tem um acelerador chamado simpático e o freio chamado parassimpático. O sistema simpático zela por todas as ações automáticas do nosso organismo, como a respiração, o batimento cardíaco, a transpiração das glândulas sudoríparas, as funções intestinais.

Se estamos equilibrados, a respiração e os batimentos estão ok, e o intestino funciona normalmente. Contudo, basta sairmos do equilíbrio para que surjam problemas para dormir, pressão alterada, batimentos descontrolados e intestino desregulado.

Sabe qual o inimigo do sistema simpático? O estresse em excesso, aquele que se torna crônico.

Podemos perceber como está nosso estado observando nossa frequência cardíaca, pois a coerência cardíaca nos diz muito sobre como estamos. O coração acelera e desacelera, e pode estar em alta ou baixa coerência. Se quisermos nos apoderar dessa tecnologia, o que fazemos? Podemos equilibrá-la através da respiração consciente e da meditação com visualização.

Quando estive no intensivo sobre esse assunto, aprendi que visualizar situações de bem-estar enquanto trabalhamos a respiração traz paz e serenidade, e isso provoca uma mudança na frequência cardíaca, trazendo harmonia para seu corpo. Tanto o sistema endócrino quanto o imunológico se beneficiam.

A partir daí, podemos começar a produção de ocitocina, o hormônio do amor, observando melhor nossas ações e saindo do modo de reação primitivo. Isso reduz a produção de cortisol, gera emoções mais positivas e nos leva para um estado de presença.

Portanto, quando eu falo sobre repararmos a nossa tecnologia interna, significa que quero que você preste atenção em suas funções. Você pode promover a saúde do seu corpo de uma maneira simples: auxiliando sua coerência cardíaca, que vai fazer seu organismo inteiro se beneficiar, além de auxiliar no humor e nas funções vitais.

Não economize com você. Não economize tempo para usar essa tecnologia interna. É um recurso gratuito que você pode facilmente acessar. Parar, respirar e meditar com uma simples visualização não custa nada. E seu coração agradece.

LIÇÃO 27

TODOS ESTAMOS CONECTADOS

"Eu sou responsável pelo que vejo. Eu escolho os sentimentos que experimento e eu decido quanto à meta que quero alcançar. E todas as coisas que parecem me acontecer eu as peço e as recebo conforme pedi."

Helen Shucman

Já percebeu como seu corpo inteiro vibra quando você encontra uma pessoa com uma energia altíssima? Você se sente melhor, mais alegre, forte e saudável. É como se aquela pessoa elevasse sua alma e seu estado de espírito.

Por outro lado, quando encontramos alguém que sempre puxa a nossa energia para baixo, nos sentimos sugados, sem forças, como se toda nossa faísca de alegria tivesse sido apagada.

Mas por que isso acontece?

Quando nos conectamos com alguém, os campos de energia geralmente se fundem. Pelo coração, as energias se conectam uma com a outra e podem se expandir ou não.

Um estudo mostra que no dia 11 de setembro de 2011, data do ataque às Torres Gêmeas, nos Estados Unidos, alguns satélites mapearam o planeta Terra e constataram que ele apresentava uma energia eletrostática diferente. Isso aconteceu porque a energia gravitacional da Terra é formada pela mesma energia que o coração, logo, quando o mundo se abala por causa de algum evento trágico, o mesmo acontece com a energia do planeta.

Todos estamos conectados. Por isso, a melhor maneira de se conectar com a energia matriz, a energia mãe, que nos nutre e revigora, é pisar na grama com os pés descalços, respirar fundo e sentir a energia da terra. Dessa forma, podemos descarregar quando estivermos nos sentindo sobrecarregados de energia densa.

Todos nós também nos conectamos uns com os outros.

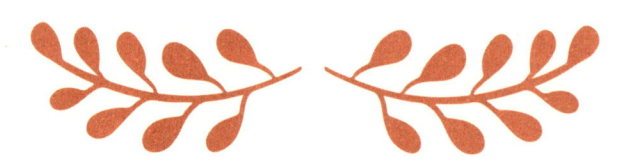

Cada um apresenta uma frequência vibracional em hertz que pode variar de pessoa para pessoa. Se você se conecta com alguém com uma frequência mais baixa que a sua, geralmente é você quem terá de reduzir a energia para se comunicar com o outro. No entanto, se soubermos disso previamente, podemos nos preparar mental e fisicamente para subir a energia do ambiente ao invés de derrubá-la.

O coração é capaz de gerar os mesmos campos que compõem as coisas do nosso mundo. Não se esqueça disso. Se quiser mudar a realidade, ou você muda, ou o campo elétrico muda. Não tem segredo. E só você tem esse poder.

O que a ciência está começando a entender é que, quando temos um sentimento em nosso coração, estamos criando ondas eletromagnéticas que mudam a qualidade dos átomos. Eles literalmente interrompem o fluxo do tempo-espaço e reorganizam as coisas.

Quanto mais somos treinados e condicionados a fazer esse tipo de mudança, mais afetamos nossa realidade.

LIÇÃO 28

PARTICIPE DA REALIDADE DO PLANETA

"Há um cérebro no coração e seu batimento é similar a um código Morse, com essas mensagens refletindo no seu estado emocional."

Rollin McCraty

Estamos chegando numa época da História em que reconheceremos que somos uma mesma família neste planeta e que, quando nos unimos em cooperação, podemos obter resultados fantásticos.

O físico John Wheeler, colega de Einstein, deu a esse acontecimento o nome de participação. Wheeler acreditava que o tipo de criação que tivemos, de realidade que queremos ter e de papel que desempenhamos é determinado diretamente se aceitamos nosso papel de criadores da realidade.

Somos condicionados a aceitar que somos separados do mundo e vítimas de tudo, mas precisamos entender que criar a realidade é algo que nasce com a gente, como uma espécie de superpoder igual ao que vemos nos filmes.

Conforme você espera que o melhor aconteça, tudo já está começando a mudar. E hoje já sabemos que os conceitos de ciência e espiritualidade explicam tudo isso.

Existe um campo inteligente de energia que permeia o nosso campo e que, além de não convencional, também não funciona como eletricidade. Os cientistas dizem que há um campo lá fora onde tudo se conecta e, ao contrário do que se achava, não são os nossos pensamentos que criam a realidade.

O cérebro é capaz de criar campos eletromagnéticos, mas eles são fracos em comparação aos do coração. Como já disse aqui, o coração é 5 mil vezes mais forte magneticamente que o cérebro humano. É muito mais fácil sentir com o coração, pois assim o cérebro cria a imagem que modelamos e o que queremos experimentar.

Essa é uma poderosa tecnologia interna. Precisamos, de uma vez por todas, nos percebermos como seres ilimitados, mas, por estarmos todos muito inconscientes, acreditando que somos vítimas de tudo, entramos em conflito.

A melhor forma de resolver isso é mandar amor para o que estamos pensando, pois quando combinamos pensamento e emoção, eles se unem nesse mágico e precioso lugar. Tudo está em nosso coração, e o sentimento cria as ondas que falam para o campo. É assim que criamos uma nova realidade no Universo. Quando não alimentamos nossos pensamentos com amor, eles podem se tornar vazios.

A partir de hoje, faça essa mudança sutil: ao invés de somente pensar, comece a sentir os resultados que quer. Tanto no que diz respeito à sua casa, sua família e, até mesmo, à sociedade e ao planeta.

**Em vez de pensar na falta,
crie uma condição amorosa
e emane essa energia.
Essa será sua
nova forma de viver.**

LIÇÃO 29

PRATIQUE A COMPAIXÃO

"Que haja amor, compaixão e paz entre todos os seres do Universo."

Tadashi Kadomoto

Todos os dias, o terapeuta Tadashi Kadomoto entra em cena em suas redes sociais e conecta mais de 25 mil pessoas através do mantra "Que haja amor, compaixão e paz entre todos os seres do Universo." Certo dia, uma amiga praticante de Reiki disse que, quando paramos de vibrar no negativo, podemos entrar num estado de compaixão pelo outro.

Em 2020, o Instituto HeartMath realizou uma conferência mundial para discutir como somos responsáveis pelo campo de energia do planeta. A mensagem foi clara: "Quando um grande número de pessoas cria estados de amor centrados no coração e na compaixão, elas geram um ambiente mais coerente que pode beneficiar outras pessoas e ajudar a compensar a atual onda planetária de medo e incoerência."

Nesse encontro, foi falado que "estamos num ponto da história da consciência em que temos a oportunidade de dar um salto evolutivo para um modo de vida mais cooperativo e compassivo."

Não sei quanto a você, mas a palavra que me marca em todos esses discursos é a mesma: compaixão. Ter compaixão pelo próximo, gerar compaixão pelo planeta, praticar a compaixão. Tudo isso parece ser a chave para que possamos emitir amor, uma prática constante e efetiva de bondade, para ajudarmos uns aos outros.

É comum que muitas vezes a gente tente se afastar de pessoas que passam por sofrimento intenso porque não sabemos bem como lidar com aquilo. E, por conta disso, acabamos abandonando as pessoas quando elas mais precisam de nossa ajuda. É claro que nem sempre podemos ajudar, mas, na maioria das vezes, as pessoas ajudam mesmo sem saber como. É um cego guiando o outro. Com isso, o que eu quero dizer sobre compaixão é bem simples: quando eu sei que existe alguém em sofrimento, precisando de algum tipo de ajuda, eu não preciso ignorar se não tiver meios efetivos de ajudar.

Eu posso simplesmente me conectar com a energia do amor e enviar compaixão para aquela pessoa.

Ter compaixão, ser compassivo é saber que não existe planeta sadio se uma única pessoa estiver sofrendo. É a velha e boa filosofia do Ubuntu: as crianças africanas ensinam ao historiador que não dá para uma delas ganhar uma corrida e levar um saco de balas sozinha. Elas preferem dar as mãos e ganhar juntas, para dividir a conquista, porque se uma delas estiver triste, todas estarão, e nenhuma vitória é celebrada.

Esse estado de empatia e solidariedade com o próximo é uma característica própria do nosso coração. Um coração bondoso geralmente tende a se expandir, se doar e praticar o amor, a compaixão e a paz, aproximando-se de pessoas que estão conectadas com o bem. Por isso, uma das coisas mais bonitas de se fazer quando estamos tristes é ser generoso com alguém que precisa. A caridade nos faz sair imediatamente do nosso estado de tristeza, porque praticar um ato de amor e compaixão nos traz a sensação de pertencimento e unidade. Nos sentimos eficazes em nossa condição humana.

Pratique a compaixão em todos os momentos da sua vida.

Para existir amor, compaixão e paz entre todos os seres do planeta, é preciso que cada um de nós tenha consciência de como podemos contribuir com essa condição.

@patriciameirelles

LIÇÃO 30

VOCÊ CONTRIBUI PARA ELEVAR A ENERGIA DO SEU AMBIENTE?

"O amor vem de onde menos se espera."

Louise Hay

Em abril de 2020, uma meditação em massa, mundialmente conhecida, foi feita simultaneamente em vários lugares do mundo, e isso contribuiu para que o campo geomagnético da Terra, que circunda o planeta protegendo a atmosfera, se estendendo até o espaço sideral, fosse alterado, elevando o poder da ressonância Schumann ao ponto mais alto: 76 Hz.

A ressonância Schumann é a frequência básica da Terra. O valor de 7,83 Hz foi o mais baixo já registrado até o momento. Nosso corpo também possui um campo magnético, e o coração é a fonte mais forte para atividade eletromagnética. Para que você tenha uma ideia, o campo elétrico medido em um eletrocardiograma é 60 vezes maior do que as ondas cerebrais que podem ser registradas num eletroencefalograma.

Voltando a abril de 2020, quando os grupos de meditação estavam meditando pela paz mundial, o primeiro-ministro indiano Narendra Modi pediu a 1,3 bilhão de cidadãos indianos que desligassem a eletricidade e orassem. Foi nesse dia que os humanos afetaram o campo da Terra intencionalmente.

O que eu quero contar com tudo isso? Que podemos influenciar a Terra, mas também podemos interferir na energia da nossa casa, da nossa família, do nosso bairro. Se começarmos com pequenas intenções, dia após dia, como nas meditações, onde intencionalmente vibramos pelas pessoas queridas, podemos transformar campos — tanto os nossos como o de tudo que nos cerca.

Não é crença. É ciência.

◆ • ◆ • ◆ • ◆ • ◆ • ◆

LIÇÃO 31

A PRECE INTELIGENTE

"Pois a seus anjos Deus dará um encargo especial quanto a ti: que te guardem em todos os teus caminhos."

Salmo 91

Quando eu era criança, tinha o hábito de fazer orações. Toda criança tem esse hábito antes de dormir, e quando nos tornamos adultos, muitas vezes o abandonamos.

Assim que comecei a me interessar por Inteligência do Coração, comecei a pesquisar os escritos antigos que falavam sobre o coração. Nessa pesquisa, encontrei uma informação que eu já intuía, mas que ainda não tinha me dado conta: uma prece do coração não necessita de palavras.

O coração, quando em silêncio, está no ritmo do mundo, e é ali que nossos desejos e os desejos universais ficam armazenados. Se silenciamos, escutamos o coração, e é ele quem nos traz a prece correta. Ele é quem aponta aquilo que é importante.

Depois que a minha filha nasceu, eu fiquei muito mais conectada à minha essência e passei a perceber o mundo mais sutilmente, perceber os hábitos que me distanciavam de mim mesma e perceber as relações que não faziam mais sentido na minha vida.

Então, antes de dormir, comecei a fazer minhas orações de outra forma: sempre atenta ao silêncio do coração e perguntando a ele as respostas. Muitas vezes eu precisava tomar decisões importantes e não tinha a menor ideia do que fazer. Então, eu silenciava, respirava fundo e sentia o que meu coração estava querendo dizer. Muitas vezes ele não dava a resposta, mas eu colocava a intenção correta, pensando "que ele me traga a resposta durante a noite".

Essa prece inteligente, que eu fazia pedindo que acontecesse o melhor, tanto para mim quanto para as pessoas envolvidas nos assuntos em questão, sempre era respondida.

No dia seguinte, as coisas se desenrolavam e seguiam pelo caminho certo.

Tente esta noite observar o seu coração, o silêncio que diz muito, e deixe aquela prece dormir com você, entendendo que a resposta virá de uma consciência muito maior.

> O crescimento espiritual está intimamente ligado à nossa capacidade de ouvir nosso coração. Escute em silêncio e sinta a resposta com amor.

LIÇÃO 32

O SEGREDO DO MAGNETISMO PESSOAL

"O homem está sempre disposto a negar tudo aquilo que não compreende."

Pascal

Você já deve ter ouvido falar em magnetismo pessoal. Algumas pessoas, quando estão perto de nós, parecem resplandecer com energia curativa e bons fluidos, enquanto outras nos fazem sentir vontade de sair correndo, não é?

Pois bem, a dúvida que fica no ar é: como será que está minha energia e meu magnetismo? Porque sim, muitas vezes somos nós que emitimos essas energias tão ruins que fazem até a arruda murchar com a nossa presença.

Para ter um magnetismo pessoal, é preciso, em primeiro lugar, que haja um alinhamento entre corpo, mente e espírito. Equilibrar sentimentos e emoções é fundamental nesse processo, para que o seu campo vibracional emita energias de amor e generosidade, energias que façam com que seu entorno seja preenchido de luz — e não o contrário.

Pessoas com magnetismo geralmente têm fé, uma alta compreensão da vida e sensibilidade. Além disso, elas zelam pela própria energia vital, e é disso que quero falar agora. Muitas vezes, desperdiçamos nossa energia vital com discussões e preocupações que sugam a nossa energia, sem perceber que o magnetismo é fruto de uma saúde física, mental e espiritual fortalecida.

Quantas vezes você não se sentiu fraco depois de discutir, ou de ter uma conversa difícil? Ou, então, depois de fazer aquela refeição pesada ou beber demais?

A verdade é que nosso magnetismo é a nossa força diante da vida, e todos os dias precisamos observar como andam nossas atitudes e pensamentos, para que a qualidade deles seja positiva.

É aí que a inteligência do coração entra em cena: sentimentos bons fazem nosso corpo vibrar em outra sintonia, e com bons hábitos aprimoramos nossa condição de vida. Vivemos melhor, tornamos os ambientes melhores, criamos condições de vida melhores. Assim, nossa energia se torna capaz de transformar tudo ao nosso redor.

Nosso magnetismo cria uma aura de proteção, abre caminhos e fala sobre nós antes que possamos entrar em cena. Por isso, cuidar do magnetismo pessoal é cuidar de si. Cuidar dos pensamentos, dos sentimentos, dos hábitos e do corpo, tendo a máxima "Vigiai e orai", para não se distrair e deixar que perturbações psíquicas invadam seus pensamentos e quebrem essa corrente de energia construtiva.

Vale a pena ter consciência da maneira como você vibra no mundo, não apenas para criar uma vida melhor para você. Se cada ser humano for capaz de vibrar numa frequência maior, poderá instruir mais pessoas, treinar e capacitar novos líderes e abrir caminho para que mais pessoas tenham cura interior, amor interior e capacidade de amar incondicionalmente e transformar nossa vida no planeta.

Nascemos com essa capacidade. Precisamos apenas nos recordar de quem somos para termos essa presença no mundo e impactá-lo de forma positiva todos os dias.

LIÇÃO 33

RIR É REMÉDIO DE VERDADE

"Vê um mundo novo cada dia."

Patch Adams

Quando acordo de mal com a vida, eu geralmente procuro ouvir uma música, fazer meditação, tentar mudar meu estado ou a fisiologia, mas nem sempre dá certo, porque às vezes o mau humor é tão grande que parece uma doença que impregna na gente.

Nessas horas, eu percebo que falta um pouco de humor na minha vida e tento rir de mim mesma. Sabe aquele dito popular que fala que rir é o melhor remédio? Pois acredite: não é só uma força de expressão. Estudos comprovam que o humor é uma forma de tratamento tão eficaz quanto um medicamento.

Quem deu visibilidade à terapia do riso foi o médico americano Hunter Doherty Adams, mais conhecido como Patch Adams, cuja história foi até reproduzida num filme. Esse médico provou como o bem-estar físico e emocional das pessoas que estavam em situação de sofrimento poderia não somente proporcionar uma melhora significativa, mas também curar doenças.

A verdade é que todos nós podemos nos beneficiar das risadas, mesmo quando não estamos doentes, principalmente para fortalecer nosso espírito e nosso coração. Quem tem dificuldade de rir precisa treinar com situações que provoquem o riso, ou que estimulem o abdome e a respiração. O método não convencional estimula a liberação de endorfina e serotonina, substâncias que trazem bem-estar, e rir reduz em até 10% a sensação de dor, além de diminuir a produção de adrenalina e cortisol.

Se você estiver passando por uma situação estressante ou começar a ter um dia ruim, experimente fortalecer a si mesmo com uma boa dose de risada. Os vasos sanguíneos se dilatam, o sangue circula mais pelo organismo e os tecidos ficam oxigenados. É um excelente remédio para a depressão, para o coração. Bom para te deixar mais sintonizado com o que há de melhor na vida.

▶▶▶▶▶▶▶▶▶▶

LIÇÃO 34

ACREDITE NO SEU PODER PESSOAL

"Aprenda a equilibrar seus quatro corpos: o físico, o emocional, o mental e o espiritual."

Joshua David Stone

Ao longo da minha vida, investi muito em desenvolvimento pessoal e cursos onde pudesse aprender como despertar o poder interior. Curiosamente, todas as técnicas que aprendi estavam sempre relacionadas à nossa capacidade de olhar para dentro, e não para fora.

Engraçado como ficamos o tempo todo buscando fora o que já está dentro da gente. O que muitos não sabem é que o poder interior é uma equação bem menos complexa do que as pessoas imaginam. O treinador Tony Robbins fala muito disso. Quem o conhece sabe como ele emana uma energia, um poder pessoal, uma forte presença capaz de despertar o nosso melhor.

E ele zela a cada minuto pela própria energia.

De que forma?

Ele cuida da energia física — através da alimentação, do sono e da prática de exercícios —, emocional, mental e espiritual. Seu foco está sempre em usar o esforço consciente para criar uma fortaleza em torno de si.

Mais do que gerar energia, ele é capaz de transformar a energia de quem está ao seu redor, e esse é o segundo passo quando entendemos como usar nosso poder pessoal. Porque não adianta apenas usar o poder pessoal para si mesmo, abrir caminhos profissionais ou fazer as coisas acontecerem na própria vida. A verdadeira expansão do poder pessoal se dá quando abrimos nosso campo do coração e somos capazes de multiplicar aquilo que fazemos por nós. Em outras palavras, quando não nos esforçamos mais para pensar no bem do próximo, quando somos naturalmente generosos, pensamos no bem-estar das pessoas, fazemos caridade.

Claro que chegar nesse nível requer uma consciência de querer evoluir a cada dia, porque quando acreditamos no poder pessoal temos a capacidade de cocriar realidades — tanto individuais quanto coletivas. É como se exalássemos confiança e certeza, e isso cria uma corrente de energia, fé e esperança que ultrapassa o entendimento humano. Cria-se um mundo de possibilidades disparado através da força das palavras que dizemos, porque elas estão temperadas com nosso poder pessoal. E poder pessoal é a capacidade de usar a nossa inteligência coronária. É a capacidade de viver conforme o coração.

Quando estamos sintonizados com essa capacidade de sermos criadores de realidades, materializamos ideais, lideramos pessoas e incendiamos lugares de maneira positiva. A nossa simples presença dispara nos outros a vontade de serem melhores, mais autoconfiantes e energeticamente positivos.

Se você zela pela sua presença no mundo, o simples fato de estar na presença de alguém já é o suficiente para transformar quem está ao seu redor.

Portanto, não busque transformar aos outros. Transforme-se a si mesmo. Só assim você será capaz de transformar as pessoas a sua volta — não pelas suas palavras, mas pelo fato de estar presente na vida delas.

LIÇÃO 35

VIVA MILAGRES TODOS OS DIAS

"Tudo que vem do amor é um milagre."
Do livro *Um Curso em Milagres*

Quando tive contato com o livro *Um Curso em Milagres*, canalizado por Helen Schucman, uma mulher cética a tudo o que estava relacionado à espiritualidade, fiquei admirada com a história de como ela tinha sido tocada pelos ensinamentos que escreveu.

O tratado de 800 páginas, que se tornou um dos livros mais vendidos do mundo e tornou-se fonte de inspiração para quem quer curar a própria vida, fala, sobretudo, sobre a capacidade humana de operar milagres na própria vida. Seu princípio fundamental é que não há dificuldade para que milagres possam acontecer. Não existem milagres maiores ou menores. Todas as expressões de amor são capazes de operar milagres em nossas vidas.

No curso também é ensinado que os milagres ocorrem como expressões de amor. É ele quem os inspira, e tudo o que vem do coração é mais potente e poderoso. Logo, todos os milagres são a expressão da vida.

Um Curso em Milagres também ensina que todos temos direito a milagres. E eles nascem a partir das relações de troca. Quanto mais amor formos capazes de emitir, maior a probabilidade de vivenciarmos milagres em nossas vidas.

A principal ação que nos conduz no caminho de um milagre é a oração. Ela é o veículo que permite que nos comuniquemos com o nosso criador. O amor pode ser expressado por meio dela e recebido também.

Da mesma forma, nossos pensamentos podem nos elevar ou nos fazer entrar na mais baixa esfera de energia. É firmando pensamentos que conseguimos avançar na vida. Os milagres são a prova do uso criativo da nossa mente, e o propósito da vida é aprender a usar nossos sentimentos e ações corretamente para buscá-los.

É através do milagre que materializamos tudo o que queremos. Quando amamos incondicionalmente a vida que recebemos e perdoamos uns aos outros, criamos uma condição que afasta qualquer escuridão das nossas vidas.

Quando vivemos uma vida em milagres, nos curamos e curamos aos que estão ao nosso redor. Dessa forma, entramos no fluxo das bençãos universais e entramos em alinhamento com o Universo.

Para *Um Curso em Milagres*, milagres são exemplos do pensamento certo. Por isso, todos nós podemos viver uma vida em milagres.

LIÇÃO 36

VIVA DE ACORDO COM O SEU CORAÇÃO

"O coração tem razões que a própria razão desconhece."

Blaise Pascal

Eu tinha todos os motivos e razões para continuar naquele trabalho. Era uma coisa que profissionalmente me fazia feliz e próspera. Eu tinha reconhecimento e muitas conexões, até que um dia percebi que eu não estava caminhando na direção que meu coração apontava. Eu estava tomando uma decisão racional, que dizia que aquele era um bom trabalho. Só que o meu coração não dizia que era a decisão certa seguir naquela direção.

Lembro-me que naquele dia olhei para dentro. Tomar uma decisão como aquela, de um rompimento profissional tão importante como aquele, significaria decepcionar as pessoas, seria uma atitude que eu precisava pensar.

Pensar?

Pensar era tudo o que eu tinha feito até então. Na verdade, eu precisava sentir o que eu queria. E quando senti verdadeiramente o que meu coração dizia, vi que ele tinha a resposta. Não era racional: era uma decisão do coração.

Precisei informar a todos sobre a minha decisão: eu não iria continuar naquele projeto. As pessoas não conseguiam entender o que se passava comigo, mas muitas vezes vai ser difícil explicar o que o coração diz, porque ele tem uma inteligência própria, uma lógica que é só dele. Todo mundo vai olhar — de fora — e te achar inconsequente ou louca por ter tomado uma decisão que vai na contramão do que todo mundo quer.

Mas se tem um jeito certo de tomar decisões, esse jeito é através do coração.

Eu não quero dizer para você jogar tudo pro alto, nem para ser irresponsável ou decepcionar as pessoas, mas quero deixar algo claro: você precisa agir de acordo com o seu coração, e isso vai exigir que você seja firme, saiba comunicar a todos sobre a sua decisão, sem se importar com julgamentos, sem ter medo de decepcionar quem te ama.

Porque é você quem arca com as consequências das decisões. Só você.

Portanto, quando ouvir o coração, ouça o que ele diz ali baixinho, quase sussurrando, quando você está sozinha, porque são essas palavras que te levarão ao encontro com sua vida de verdade.

LIÇÃO 37

SENTIR É A CHAVE DE TUDO

"O sentimento é a linguagem que fala com a Matriz Divina."

Gregg Braden

Lembro-me do que Gregg Braden contou, quando estive em seu curso presencial, sobre algo que ele viveu numa das montanhas do Tibete, quando se encontrou com um abade de um dos mosteiros que existem por lá.

"Quando o senhor faz suas orações, o que está fazendo?", foi o que ele perguntou ao homem que entoava seus cânticos quatorze horas por dia.

Para sua surpresa, a resposta foi: "Nossas orações não podem ser observadas porque uma oração não pode ser vista. O que pode ser observado é o que nós fazemos para criar o sentimento em nosso corpo. É o nosso sentimento que é a nossa oração."

Aquela frase ficou martelando na minha cabeça durante dias, mesmo depois de ter voltado ao Brasil. "Nosso sentimento é a nossa oração". Eu já sabia que sentir era a chave de tudo, mas também me perguntava como agiam aquelas pessoas cujas mentes estavam sempre focadas em meditar e orar.

E essa foi a lição que Gregg nos propôs naquele dia. Como as emoções humanas afetam a essência da nossa realidade e como a linguagem interior é a responsável pela mudança dos átomos, elétrons e fótons do mundo exterior. No fundo, importam muito menos as palavras que dizemos do que o sentimento criado dentro de nós. A linguagem que conversa com as forças do Universo é a linguagem da emoção.

O poeta Rumi também dizia que "além das ideias de ações certas e erradas existe um campo. Vamos nos encontrar lá." E dizia que o nosso maior desafio parecia ser não julgar as atitudes dos outros, porque quando julgamos, expressamos as piores emoções humanas.

Em seu livro *A Matriz Divina*, Gregg diz:

Admitindo-se que dentro de nós exista um poder capaz de alterar a essência do Universo de modo a curar e criar a paz, tem muito sentido admitir que exista uma linguagem que nos possibilite fazer isso de maneira consciente e intencional. Ora, essa é precisamente a linguagem da emoção, da imaginação e da oração.

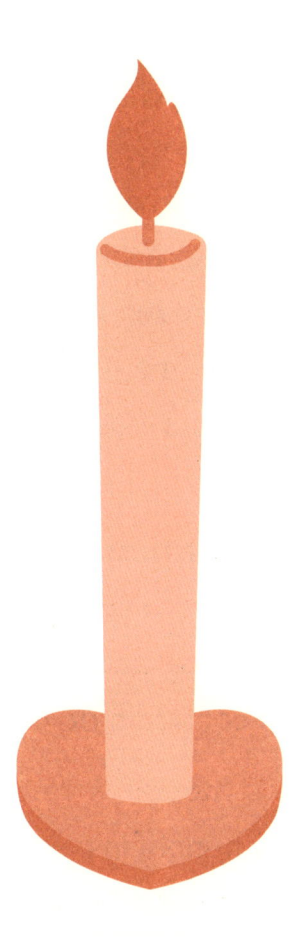

LIÇÃO 38

RESPIRE PARA TER UMA VIDA MELHOR

"Respire, sempre."

Monja Coen

Respire. Aquela boa e velha dica da vovó parece ser a fórmula certeira para quem quer ter uma vida melhor. E se todos nós sabemos que isso é bom para a saúde física, mental, emocional, por que não ficamos mais atentos à nossa respiração antes de perder o controle?

A verdade é que sempre passamos por momentos de agitação nos quais a nossa respiração fica curta e acelerada, e isso é uma bomba para disparar a ansiedade — que é justamente o contrário da coerência cardíaca.

Todos podemos nos atentar à respiração focada no coração para ter mais benefícios ainda e adquirir uma maior capacidade de superar adversidades e regular as emoções. Em primeiro lugar, sempre que sair do seu centro, perceba e entenda que pensar numa atitude positiva contrária ao que está sentindo é o remédio.

Para ancorar esse novo sentimento, é preciso mentalizar enquanto se respira e buscar ficar pelo menos dez segundos focado em pensamentos positivos. Pode parecer pouco, mas conforme você faz ciclos de cinco a dez segundos, sua consciência se expande, e cérebro e coração começam a entrar em coerência.

Quando somos mais novos, nascemos com uma maior variabilidade nos batimentos cardíacos e, portanto, maior resiliência para lidar com o estresse envolvido no aprendizado. À medida que vamos avançando no tempo, essa variabilidade diminui, fazendo com que fique mais desafiador lidar com as mudanças na vida.

Outra consequência da ressonância criada por meio das frequências de nosso corpo (principalmente do nosso coração), especialmente quando a coerência cérebro-coração é alcançada, é o efeito que ela pode gerar sobre outras pessoas. As frequências geradas pelo nosso corpo são emitidas e podem ser captadas em um raio de 1,5 metro.

Coerência leva a uma maior resiliência, e resiliência nos dá a capacidade de criar pontos de inflexão.

LIÇÃO 39

RETROALIMENTE O AMOR

"Ame ao próximo como a ti mesmo."

Jesus

Como manter o coração vivo?

Essa é a pergunta que nem fazemos, porque ele bate constantemente sem que tenhamos controle. Mas o que o mantém vivo? O que nos mantém amorosos, calorosos, afetuosos?

Desde que minha filha nasceu, eu percebo o quanto me tornei uma pessoa melhor. Acho que todas as mães podem concordar comigo que ocorre uma explosão de amor quando olhamos para os nossos filhos. Cria-se uma aura quase divina que nos faz expandir nossos chakras. Ficamos absolutamente comovidas quando eles dizem uma palavra nova, quando fazem um novo gesto.

Mas você já experimentou abraçar seu filho voluntariamente e brincar com ele para se beneficiar das vantagens da ocitocina, hormônio do amor produzido a partir das interações com quem amamos?

Se sabemos que existe um benefício quando deixamos esse amor circular, por qual motivo nos privamos dos contatos afetivos? Por que alguns pais não abraçam seus filhos, não dizem que os amam, não se alimentam dessas relações, nutrindo os filhos com amor e construindo uma dinâmica familiar de amor incondicional?

As experiências estão aí, a nosso dispor. Podemos, dia após dia, criar novos momentos e recriar aquilo que nos traz bem-estar. Quimicamente, sabemos o que nos faz sentir bem. E, se disparamos essa produção hormonal conscientemente, podemos trazer uma vida com experiências repletas de amor.

Portanto, a lição é que você possa interagir com qualidade com as pessoas que ama. Se não estiver rodeado delas, ofereça amor a alguém: ofereça amor a um asilo de idosos que estiver próximo a você, visite um orfanato. Muitas pessoas precisam do seu amor, e retroalimentar o amor é benéfico tanto para quem oferece quanto para quem recebe.

Seja a pessoa que compartilha amor. Seja a pessoa

que multiplica, que oferece, que se doa, que generosamente sorri antes de esperar, que abraça ao invés de aguardar um abraço.

Não seja mesquinho com o amor. Não seja reativo nem espere que os outros te amem. Ame. A si mesmo, a quem está ao seu redor. Ame sem distinções, e inevitavelmente você será uma fonte de amor que proporciona o melhor para si mesmo e para quem está ao seu redor.

LIÇÃO 40

SEJA O SEU INCENTIVADOR

"Seja seu maior compromisso."

Louise Hay

Muitas vezes, esperamos que as pessoas nos digam o que fazer, como fazer. Esperamos que venha de fora aquilo que precisamos gerar. E, sem notar, nos tornamos reativos. Se as coisas não estão bem, precisamos de incentivo, não geramos 1% de energia. Ficamos reféns dos acontecimentos para gerar boas sensações.

O que acontece com isso?

Geramos sensações, sentimentos e emoções que só acontecem quando algo vem de fora. E como é exaustivo esperar o tempo todo para que tudo esteja correndo bem. Imagine quanta energia você despende nesse processo!

Se estamos falando de o coração ser o órgão disparador dessa energia eletromagnética, temos pleno potencial de criar e expandir a nossa energia e emoções quando e como quisermos.

Será que estamos pensando em como contribuir para nós e para o mundo? Será que estamos efetivamente comprometidos com a nossa energia? Estamos incentivando a nossa própria emoção positiva? Estamos fazendo as coisas acontecerem, somos responsáveis pela nossa energia, pela nossa emoção, pela nossa experiência de vida?

Qual o seu papel como incentivador de si mesmo? Você tem sido um bom coach de performance para si mesmo? Tem incentivado boas condutas, bons hábitos, uma disciplina constante no bem-estar, nos bons pensamentos e sentimentos?

A verdade é que pode parecer difícil se manter equilibrado e feliz, mas é nosso dever manter-se vigilante para não deixar que as energias e condições externas nos derrubem.

A vida por si só traz inúmeros desafios, mas só podemos crescer e evoluir se conseguimos encontrar condições internas para enfrentar os turbilhões, as pessoas que estão contra aquilo que fazemos, e, dessa forma, brilharmos de acordo com a nossa verdade pessoal.

Incentive a si mesmo. Dia após dia. Mesmo que o mundo te coloque para baixo. Mesmo que o mundo queira te derrubar. Incentivar a si mesmo é dar condições para que nada nem ninguém possa destruir os seus sonhos.

No final do dia é só você com você mesmo no seu travesseiro. Conte com esse ser magnífico.

LIÇÃO 41

ESQUEÇA O *MINDSET*: É HORA DO *HEARTSET*

"*Heartset* é a mais alta performance humana."

Robin Sharma

O autor Robin Sharma, que cunhou o termo *heartset* — que eu achei incrível, por estar totalmente alinhado com o que eu acredito —, afirma que as pessoas que moldam a História, tais como Nelson Mandela e Madre Teresa, só conseguem fazer isso porque vão além da configuração da mente. São pessoas que se preocupam com a paixão pelo que querem, com o bem-estar dos demais e com a inspiração pessoal.

Eu convivo com muitos empresários e empreendedores e posso afirmar com total precisão: quem faz a diferença está conectado com a força do coração. Tem gente que faz isso muito bem e, de quebra, marca a nossa vida.

Em todos os meus contatos e conexões profissionais, prezo por essa característica. Dá pra saber quem está envolvido de coração e quem está apenas com a mente ligada no projeto. Até as culturas organizacionais das empresas estão conectadas a isso. As empresas que pensam com o *heartset* têm uma cultura mais voltada para a colaboração, a linguagem utilizada está mais alinhada com o propósito e as trocas são justas, porque todos agem com empatia e solidariedade.

Na hora de pensar com o coração dentro de uma organização, percebemos princípios de liderança mais honestos, pessoas engajadas com sonhos, realizações que trazem algo para o bem-estar coletivo e uma dinâmica mais justa e participativa. Estar com a antena do coração ativada é viver num ambiente mais propício ao diálogo, à confiança, onde as pessoas falam sobre suas dificuldades e se ajudam mutuamente, ressignificando o espaço de trabalho para uma cultura com mais cuidado uns com os outros e com menos competição.

O convite que eu faço é que possamos estar atentos às novas regras do jogo. Às empresas que estão empenhadas em contribuir, em fazer as pessoas crescerem profissional e emocionalmente.

Pensar com o coração dentro de um ambiente de trabalho requer que reconheçamos nossos erros, que estejamos atentos a uma nova lógica, que não está tão alinhada com tudo o que já foi feito.
É sentir mais que pensar.
É unir mais que segregar. É o futuro, quer você queira ou não.

@patriciameirelles

LIÇÃO 42

O PODER DAS PLANTAS NA SUA CASA

"Quando souber se relacionar com o reino vegetal com gratidão e consciente de seus potenciais, certamente você conseguirá receber seus melhores benefícios, e por consequência será uma pessoa mais feliz, saudável e plena."

Bruno Gimenes e Patrícia Cândido

Há pouco tempo, mudei para uma casa nova. Diante de tantas coisas a pensar, modificar e planejar, me atentei ao fato de que esse novo lar precisava de vida. E não era possível ter vida sem plantas. Eu sempre planejei jardins em todos os lugares onde morei; nunca deixo minha casa sem flores. Considero indiscutível o poder das plantas e principalmente das flores para manter nossa energia elevada.

Tenho uma amiga que mantinha um vaso de arruda sempre fresquinho na porta de casa, e bastava algumas pessoas a visitarem para aquela arruda secar de maneira inacreditável. De certa forma, é isso que as plantas fazem: elas trazem uma energia nova para a casa e também podem nos servir como escudo de proteção – seja uma arruda para deixar o olho gordo pra lá ou uma espada de São Jorge para nos proteger.

O estudo da Fitoenergética, sobre o qual a Patrícia Cândido e o Bruno Gimenes são experts, despertou minha curiosidade há algum tempo, e desde então comecei a perceber como era efetivo o poder das plantas na nossa energia. Não é simplesmente acreditar. É um fato.

Uma vez, recebi flores de uma amiga muito querida. Essas flores ficaram vivas e lindas durante muito tempo — parecia que carregavam a energia e a intenção de quem tinha me presenteado.

Mas também já aconteceu o contrário — e pode ter certeza: não é por acaso.

Portanto, use o poder das plantas para se proteger. Para proteger sua casa. Para proteger as pessoas que você ama. E depois me conta a diferença que fez na sua vida. Você me encontra no Instagram @patriciameirelles

LIÇÃO 43

CORAÇÃO TEM MEMÓRIA

*"O coração sempre foi considerado
o ponto focal da vida."*

Agni Yoga

A quem a memória pertence?

Um caso que me intrigou demais assim que soube foi quando certa vez uma garota recebeu um transplante de coração e logo depois começou a ter visões e contar cenas que ninguém sabia de onde vinham. Ela foi levada ao psiquiatra porque imaginavam que se tratava de um caso de saúde mental, e o profissional entendeu que se tratava de algo peculiar: uma memória que ela acessava e que não era dela, mas da pessoa que tinha doado aquele órgão.

A garota descreveu as cenas de um assassinato, deu as circunstâncias, os locais e os nomes de pessoas, e a polícia local pôde encontrar o assassino da menina que foi morta: a doadora daquele coração.

Isso, para mim, foi uma grande descoberta. Sempre imaginei que o que guardava as memórias era nosso cérebro, mas, a partir de então, comecei a ler a respeito das memórias que ficam printadas no coração. E as provas são inúmeras, relatadas no livro *Resilience from the heart*, de Gregg Braden.

A verdade é que tudo o que sentimos e vemos fica arquivado em nosso coração, essas evidências abrem as portas de inúmeras possibilidades. O poder do coração fica ainda mais evidente.

A pergunta que eu faço é: de que forma você está sentindo suas emoções? Está tendo consciência delas? Tem ouvido seu coração? Tem usado esse órgão cheio de memórias e sua inteligência infinita para te ajudar a tomar decisões em seu dia a dia?

As explicações da ciência estão trazendo provas sobre a percepção extrassensorial, e foi feito um estudo com mães de filhos em campos de batalha que sentiam exatamente quando os filhos estavam em perigo. Toda mãe já sentiu um calafrio quando imaginou seu filho em perigo; agora sabemos que esse poder de sentir o outro através do coração é real.

As descobertas estão trazendo um novo significado e sentido às nossas vidas: não tem como desprezar que o coração pode nos dar pistas, nos trazer respostas e informações que o cérebro jamais será capaz de trazer.

Se o coração tem memória, isso prova que ele também pensa, à sua maneira. Ele tem uma inteligência própria. E se podemos acessar essa memória depois da morte cerebral e física de alguém, isso nos traz infinitas probabilidades. Somos indestrutíveis, podemos ter uma inteligência ainda mais potente do que imaginamos.

Gregg ensina que existe uma continuidade entre as experiências e estamos todos conectados através do coração. Uma presença é capaz de afetar o todo, desde quem está na sala ao lado até quem está do outro lado do continente.

Estamos mais conectados através do sentir do que podemos supor, e quando estamos sintonizados, podemos acessar uma intuição profunda e uma mente subconsciente.

**É preciso estar consciente
e observar a si mesmo para não
deixar essa capacidade de lado.**

LIÇÃO 44

CONFIAR COM O CORAÇÃO

"O coração nos leva ao caminho da vida trilhado com coragem. Por isso, ao se voltar para o chakra cardíaco pode-se vencer os bloqueios e o medo, sendo uma forma de fortalecer a conexão com Deus, com a Vida e com os Seres Humanos."

Osho

É incrível que, conforme comecei a estudar a respeito do coração, comecei a perceber como os líderes e pensadores das mais diferentes filosofias sempre disseram a mesma coisa, mas de maneira complementar.

Sempre fui fascinada por Osho. Quando era mais nova, trancava-me no quarto com meus livros e devorava os de Osho, por perceber a provocação que ele trazia a respeito das coisas. E agora, relendo tudo aquilo que ele já escreveu, pude perceber que ele também falava sobre a meditação do coração.

Ele sempre dizia que o ser humano era muito preocupado, pensava com a mente, deixava os temores baterem à porta e focava em problemas o tempo todo. E que, por outro lado, o coração era o porta-voz da alma, esquecido. E, sendo esquecido, deixava a vida perder a graça e tornava as pessoas verdadeiros robôs.

Uma das maneiras que ele recomendava para acessar o coração era através da meditação, que sempre fez o ser humano enxergar com mais clareza e se expressar de maneira mais assertiva. Com essa corrente mística chamada *sufi*, Osho desenvolveu uma meditação que usa a música para elevação, ou seja, através da música, nos elevamos e entramos em contato com Deus. Para entrar em tal estado, é preciso ter em mãos instrumentos musicais que levem a esse estado meditativo.

Quem já praticou sabe que esse tipo de meditação dissolve bloqueios internos, traumas, medos e traz mais foco para o dia a dia. É como se ela mudasse o centro da consciência da mente para o coração.

O caminho do coração é o caminho da coragem. Para encerrar esta lição, cito Osho novamente: "O coração está sempre pronto para enfrentar riscos. O coração é um jogador."

LIÇÃO 45

O PODER DA ORAÇÃO

"Nosso coração tem sede
do encontro com Deus."

Papa Francisco

Muitas pessoas menosprezam o poder da oração, mas vou te dizer uma coisa: quando ela é feita com o coração, é uma conversa direta com a Fonte Criadora.

Não precisamos seguir qualquer religião específica para orar, basta saber da existência de algo maior, que está presente em todas as religiões. Cristãos, judeus, budistas, todos sempre se conectam com palavras de amor, e é através das palavras, que ecoam no Universo, que nos conectamos com Deus.

Existem muitos relatos de pessoas que conseguiram milagres depois de orações intensas. Depois de pedirem com o coração ou se entregarem à força do Universo. É como se as palavras ditas com essa intensidade pudessem realmente trazer uma força maior porque são alavancadas pela força da fé, que tem uma frequência vibratória bem específica.

Quando eu era pequena, costumava ver as pessoas orando ao meu redor e não entendia como simples palavras podiam ter algum significado. Hoje eu sei como elas trazem uma solução. As palavras possuem frequências específicas e ecoam no Universo.

Se proclamamos uma oração específica, entramos num padrão vibratório daquela prece, e isso nos faz mudar nosso padrão vibratório. Logo, a maioria das orações, mesmo quando ditas apenas com as palavras, têm poder. Agora, junte isso ao poder do coração e você verá milagres acontecendo. Pode parecer conto de fadas, mas a verdade é que a equação "palavras com frequência energética positiva + intenção pura de coração + fé" é exatamente o que nos faz entrar em sintonia com os milagres.

Um milagre pode parecer algo inexplicável, mas ele é perfeitamente explicável quando damos alguns passos para trás e nos conectamos com a fórmula de sua realização.

Todos nós somos capazes de criar milagres em nossas vidas. É uma combinação de tudo o que falo neste livro. Estar conectado com sua essência, vibrar amor, ouvir a voz do coração, não deixar a sintonia cair, entrar em coerência cardíaca e ter um desejo ardente para verbalizar em palavras que não serão ignoradas por essa força criada por todo indivíduo capaz de criar suas próprias condições de vida: curas físicas, financeiras, espirituais. Todas as mudanças e transformações podem vir de você.

LIÇÃO 46

CONEXÃO COM A NATUREZA

"Estar próximo da natureza pode nos ajudar a ser essencialmente humanos."

David Barker

Sempre que posso, viajo com minha família para um lugar afastado da cidade. No meio da natureza, com animais, plantas, ar puro e água limpa, me reconecto com mais facilidade, me sinto desintoxicar em todos os sentidos, e todas as pessoas com as quais converso têm essa mesma sensação. No entanto, muitas vezes me pergunto: como colocar essa dinâmica no meu dia a dia, de forma que eu não precise me afastar das atividades cotidianas para ter essa conexão?

Sabe-se que tudo o que nos conecta com nossa essência faz com que tenhamos uma percepção maior da vida. Henry Thoreau escreveu um livro sobre seus anos afastado da civilização e concluiu que longe de tudo e perto da natureza ele começou a se questionar mais sobre seu papel no mundo, percebendo que a raça humana se beneficia quando se afasta da tecnologia para viver mais perto do que é de verdade.

Muitos têm se dedicado aos estudos de como vivem as civilizações ocidentais — totalmente desconectadas da natureza e com os olhos na tela —, e os especialistas dizem que enquanto isso acontece, perdemos a conexão com nós mesmos.

O contato com terra, mato, plantas, ar puro, Sol tem efeitos positivos em qualquer ser humano porque ativa áreas do cérebro responsáveis por neurotransmissores que nos trazem alegria e principalmente conexão. Então, não tem como falar de se conectar com o coração se você está desconectado de si mesmo e do meio ambiente que o cerca. Uma simples caminhada ao ar livre num parque faz com que pessoas apresentem prognósticos de melhora na depressão. Ar livre traz mais saúde física e mental, e caminhar ao ar livre faz com que entremos em contato com o nosso corpo, nos permitindo descobrir uma conexão mais profunda com a vida.

O tal do sentido na vida seria mais facilmente alcançado se pudéssemos fazer coisas simples, como nos conectar com a natureza — mas incorporando esses hábitos no dia a dia, e não apenas aos finais de semana ou nas férias.

    Estar em conexão com o vento, com o ar puro, com a temperatura ambiente nos faz sentir, e isso desperta nosso instinto humano. Não basta ligar uma fonte de água na eletricidade e ouvir o barulhinho. Se você quer se conectar com a fonte da vida, perceba que muitas vezes desconectar-se de tudo e conectar-se com a natureza é conectar-se consigo mesmo.

LIÇÃO 47

A ROTINA DO CORAÇÃO INDESTRUTÍVEL

"Só poderemos verdadeiramente progredir se compreendermos quem somos."

Louis Leakey

No meu livro *A arte da conexão*, trago exemplos de situações que foram pontos de inflexão na minha vida. Situações nas quais eu estava em posições profissionais de muito prestígio, mas que não estavam ligadas ao meu coração. Eu estava tendo resultado profissional, mas não estava com o coração pulsando de felicidade.

Nessas ocasiões, eu sempre decidi ouvir o que o coração tinha a dizer, porque acredito que muita gente que baliza a própria vida por dinheiro ou sucesso profissional acaba, em algum momento, perdido, sentindo um vazio interno ou percebendo uma desconexão. É preciso estar atento o tempo todo para entender se estamos saindo do caminho da nossa missão de alma ou se estamos fazendo algo que esteja alinhado ao nosso papel na Terra.

Quando estamos coerentes — agindo, pensando e sentindo em coerência — podemos ter resultados diferentes. E não se trata só de resultados materiais. São resultados dos quais nos orgulhamos: resultados de impacto, de alegria interna, de coração preenchido e carregado de boas intenções.

Percebi cada vez mais, ao longo da minha trajetória, que seria difícil diagnosticar quando eu estava saindo do meu centro, mas comecei a entender que não haveria outra maneira de ser feliz senão ouvir essa voz todos os dias.

Ouvir a voz todos os dias é o que torna nosso coração indestrutível. É quando não ligamos para as opiniões dos outros, quando sentimos aonde queremos chegar, mesmo que aquilo vá contra o senso comum. É entender de fato onde estamos colocando nossa energia e o que estamos deixando de legado para o mundo.

Diante desses questionamentos, eu percebi que podemos trair a nós mesmos num instante. E quando traímos aquela voz que insiste para fazermos algo — e fazemos coisas diferentes —, o preço é alto, porque saímos da rota que estava criando novas possibilidades para nossa vida.

Um coração indestrutível é aquele que não se deixa limitar pelas opiniões externas e cria para si uma lógica própria. Que, a partir de hoje, você saiba detectar quando essa voz está sinalizando para ir a algum lugar. Porque só você entende o que ela quer dizer de verdade.

LIÇÃO 48

AUTENTICIDADE: QUANDO VOCÊ OUVE A SI MESMO

"Pouco importa o julgamento dos outros. Os seres humanos são tão contraditórios que é impossível atender às suas demandas para satisfazê-los. Tenha em mente simplesmente ser autêntico e verdadeiro."

Dalai Lama

A escritora Brené Brown é uma das mulheres que mais admiro na atualidade. Ela fala sobre vulnerabilidade, sobre coragem e tem a facilidade de traduzir de maneira simples conceitos muito complexos.

Um de seus *talks* mais famosos fala sobre o poder da vulnerabilidade, e tudo o que ela diz em seus livros, que li logo depois, funciona tanto para a vida no dia a dia quanto para quem quer empreender com o coração.

Quando ela diz que vulnerabilidade é ter a coragem de se expor, mesmo sem poder controlar o resultado, eu me lembro daquela Patricia que decidiu se jogar e criar o próprio canal na internet para fazer as coisas do jeito que acreditava. Fui criticada, muitos não entenderam a minha intenção de propagar mensagens positivas, mas eu era, sobretudo, autêntica na minha fala. Tinha vivido e convivido com muitas pessoas que não faziam o que falavam ou que não estavam sintonizadas com o coração — e eu sabia que queria trilhar meu próprio caminho, do meu jeito.

Ser autêntica me abriu portas, inclusive, nas entrevistas que fiz no meu canal. Quando conseguia uma entrevista inédita com alguém que não falava com a imprensa ou alguma personalidade famosa, eu entendia que só era capaz daqueles feitos porque não estava ali por interesse puro e simples. Eu estava de corpo e alma, querendo saber de verdade o que se passava na cabeça daquele outro ser humano.

Vulnerabilidade não é demonstrar fraqueza. É estar aberto para receber críticas, ousar, aparecer e criar vínculos com as pessoas. E quando nos deixamos ser vulneráveis, surge a coragem. A coragem é a nossa maior arma, aquela que nos possibilita entregar uma amostra do que somos capazes de fazer, e é a partir dela que damos passos em direção à nossa felicidade, porque realizamos tudo com mais amor e atenção.

Quando somos autênticos, uma verdadeira magia acontece: não tememos, criamos a nossa própria regra de conduta e uma legião de pessoas que se alinham ao que somos se aproxima. É como se finalmente tivéssemos coragem de nos expor, mostrando o que pensamos e como agimos sem temer retaliações.

A vida é curta demais para nos apegarmos a tantas regras que mal sabemos quem inventou. Podemos ser nós mesmos. Podemos trilhar novos caminhos, podemos abrir caminhos para outras pessoas. E só podemos fazer tudo isso se estivermos alinhados ao que nossa alma pede, ao que nosso coração diz, e se revelarmos o que somos.

Então, a vida começa a ser do jeitinho que a gente sonhou.

**Seja autêntico.
Seja você mesmo.
E depois, escreva a
sua história de vida.**

LIÇÃO 49

O *DAY OFF* PODE TE SALVAR

"Que nada nos defina. Que nada nos sujeite. Que a liberdade seja a nossa própria substância."

Simone de Beauvoir

Sempre gostei do que faço. Como comunicadora, trabalho muitas horas por dia, mas me organizo bastante para não deixar o trabalho engolir minha vida. Depois que minha filha nasceu, tive que reequilibrar a minha dinâmica de trabalho, mas ainda assim sentia falta de estar comigo mesma.

Atendia ao papel de mãe, de empresária, de esposa, mas onde estava a Patricia mulher? No meu primeiro livro eu falo bastante sobre o *day off*, um dia livre no meio da semana que nos faz entrar em contato com outras coisas, relaxar, descansar, desconectar.

Quando eu percebi que precisava disso ainda mais, depois do nascimento da Maria Alice, entendi que não era tempo para ser mãe, esposa ou dona de casa. Era tempo para mim. Para ficar sozinha sem fazer nada, sem pensar, apenas lendo, assistindo a um filme, dançando ou fazendo algo que eu gostasse de verdade.

E aí eu te pergunto: por mais que você ame seu trabalho, quantas vezes por semana você se permite estar consigo mesmo? Fazer coisas por você, criando uma rotina que te permita ser mais espontâneo, seja cozinhando, tomando Sol, arrumando o quarto? Não importa o que decidir fazer nesse dia livre, é ele que muitas vezes fará com que você se conecte com suas próprias vontades, seus medos, sua essência.

O *day off* não é um dia de planejamento, nem está no final de semana. É um dia normal que você decide incorporar na sua agenda para se permitir SER quem você é. Pode parecer difícil no começo, porque nossa cabeça fica ali dizendo que deveríamos estar fazendo alguma coisa nessa cultura da produtividade, mas basta sintonizar com seu coração que você vai entender que os benefícios serão muito maiores. Você passa a ter outras conexões neurais, novos downloads, fica mais receptivo às ideias que vem de dentro e se conecta com sua própria essência.

Crie esse dia na sua rotina. Não tenha medo de parecer ocioso. *Carpe diem.*

LIÇÃO 50

VIVA UMA VIDA MÁGICA

"Os tesouros escondidos dentro de você estão esperando que você diga sim."

Elizabeth Gilbert

Outro dia me vi postando uma foto no Instagram e percebi que muita gente deve pensar: "Que vida boa ela tem!" Aquilo, de início, me fez repensar meus posts. Afinal, todo mundo tem dias bons e dias ruins — é isso que compõe uma vida.

Mas aí parei para pensar e entendi que se quero inspirar as pessoas a verem o lado mágico das coisas, a verem o lado bonito, eu precisava sempre estar conectada com essa atmosfera.

Já fiz algumas entrevistas com o criador de um site que só traz notícias boas, e muita gente dizia que ele parecia viver no mundo de Alice, num universo paralelo. Eu discordo: quando decidimos viver uma vida mágica, dizemos SIM a uma nova maneira de enxergar as coisas. Estamos predispostos a criar a vida que queremos, sabendo que existem sim desafios diários, mas que não queremos reagir a eles, e sim criar uma maneira mais positiva de enxergar o mundo.

Eu não vejo tudo apenas com lentes cor-de-rosa. Só fico com o radar ligado para as notícias boas porque sei que as ruins ficam registradas no nosso cérebro com muito mais facilidade. Então, me proponho a iluminar, e não destruir a energia das pessoas. Quero ser aquela que leva palavras e mensagens de luz, imagens que trazem bem-estar. Uma pessoa voltada para a conexão com a alma, com o espírito e com o coração. E isso é ter consciência do lado ruim, das sombras, sem jogar essas coisas para debaixo do tapete, mas entendendo que elas ficam muito piores se as transformamos em monstruosas figuras que assombram nossa vida.

É possível ter uma vida mágica. Basta decidir. Basta querer. Basta se esforçar hoje para elencar os aspectos positivos da sua vida e focar neles, agradecer por eles, amá-los acima de tudo, sabendo que é dessa energia, desse sentimento que virão mais coisas que estarão alinhadas com a sua frequência.

Seja a pessoa que espalha o bem. Seja mais leve.

A vida vai te recompensar por isso.

LIÇÃO 51

APRENDA COM QUEM ESTÁ NO SEU NÚCLEO FAMILIAR

"Foi com meu irmão que aprendi a me conectar através do coração."

Patricia Meirelles

O George foi a primeira criança da família. Quem já leu o meu livro *A arte da conexão* conhece essa história, mas ela está tão presente em minha vida, e diz tanto sobre mim, que vou repetir aqui.

Depois dele vieram mais três meninas, mas foi ele quem trouxe o desafio mais marcante para a vida dos meus pais. Diagnosticado com uma doença rara, a Síndrome de Cornelia de Lange, assim que ele nasceu, minha mãe ouviu a sentença do médico: "Lea, seu filho não viverá mais do que um ano."

Para a medicina, essa era a expectativa de vida do meu irmão. Minha mãe, dotada de uma incrível força espiritual, resignou-se e o levou para casa, mesmo sendo notificada de que muitas famílias optavam por deixar o bebê com tal diagnóstico no próprio hospital, onde viviam aqueles meses de vida com a infraestrutura hospitalar. No entanto, quem conhecia a Lea, minha mãe, sabia que o coração dela jamais deixaria um filho desamparado. Ao lado do meu pai, Fernando, ela decidiria encarar aquele diagnóstico e dedicar-se intensamente ao filho.

Três anos depois, eu entrei na história dessa família. Antes de mim, veio a Amanda e, quando nasci, meu irmão George ainda estava no berço, mas já tinha completado seus três anos.

Cresci sem saber que ele tinha uma síndrome. Conversávamos sem palavras, brincávamos, e eu o entendia só por estar ao seu lado. O George não falava e não abria os olhos, mas parecia me entender sempre que estávamos juntos.

Eu entrava em seu quarto, onde ele ficava deitado a maior parte do tempo, sendo alimentado por mamadeiras e sopas, e via a maneira como ele parecia me ouvir. Eu sabia que não eram palavras que fariam com que nos conectássemos um ao outro e era intuitiva o suficiente para perceber o humor e o estado de espírito dele. Sentíamos a energia um do outro.

Anos depois, ainda nos conectamos pela força do amor. E eu posso afirmar que aprendi a escutá-lo e a conversar com ele através do coração. É por isso que acredito que uma conexão verdadeira e profunda não se faz apenas através de palavras.

Eu não percebia, mas tinha essa sensibilidade de me conectar com as pessoas. Com as necessidades que elas não diziam. Muita gente acaba lendo o outro só através das palavras e não consegue estabelecer uma conexão mais profunda, sentindo a energia da pessoa, sua expressão, tentando entender quais sentimentos o outro carrega para poder se conectar verdadeiramente.

Hoje, quando estou diante de alguém de qualquer classe, posição ou status social, tento enxergar a essência daquela pessoa mesmo que ela tente escondê-la. Sentir além das palavras o que o outro quer nos comunicar muitas vezes pode ser mais efetivo do que apenas ouvir aquilo que o outro diz. Podemos mascarar as palavras, mas a energia nunca mente.

Para isso, é necessário sentir. Sentir o outro e principalmente chegar de maneira aberta e franca, expondo a si mesmo para que se estabeleça uma relação de confiança antes que o outro se deixe revelar.

LIÇÃO 52

NÃO SEJA SEU JUIZ

"Às vezes você tem que perdoar
para ser perdoado."

Glen Palmer

Sempre fui exigente comigo mesma, e essa exigência nem sempre foi positiva. Eu cobrava boa performance em todas as áreas e não me perdoava se algo dava errado.

Como sempre assumi a responsabilidade pelos meus atos, assumia também a culpa, caso algo saísse do controle. E isso era terrível, porque não existe controle sobre nada, mas teimamos em ser juízes de nós mesmos. Teimamos em julgar nossos atos como bons ou ruins, e não conseguimos nem identificar o quanto somos cruéis com nós mesmos.

O que quero trazer aqui é que viver de coração leve é se livrar desse peso de se julgar o tempo todo. Viva a vida de forma mais leve. Perdoe a si mesmo, deixe as coisas saírem do planejado, permita-se errar e não seja o seu próprio carrasco.

A exigência que oprime nosso coração faz com que a gente limite nossa capacidade, criatividade e ação, já que nos tornamos amargos e duros com o passar do tempo.

Perdoe a si mesmo dos seus erros.

Não seja cruel.

Pare de se julgar.

Aprenda a aliviar seu coração — e isso é só você quem pode fazer.

LIÇÃO 53

SEJA ANTES DE QUERER QUE OS OUTROS SEJAM

"Transforme-se para transformar."

Monja Coen

Muitas pessoas hoje querem transformar as outras. Na internet, um campo de batalhas se instala para ver quem é o mais iluminado, presente e eficaz em transformar o outro.

Só que a grande verdade é que ninguém transforma ninguém. Precisamos transformar a nós mesmos para transformar ao outro. É a transformação interna que provoca transformações. Quando conseguimos transcender, mudar a nossa energia, iluminar, transformamos os outros através de nosso exemplo.

Eu te pergunto: se você está seguindo pessoas que afirmam que vão te tirar do buraco, preste muita atenção. Porque quem transforma de verdade transforma pelo exemplo, pela atitude, pela paz, e não buscando arrebatar fãs e seguidores com palavras vazias.

Lembre-se sempre da pureza da criança: com alegria, espontaneidade, paz. É isso que devemos buscar quando estivermos falando de transformação para melhor.

O mundo está cheio de pessoas que pensam demais, falam demais, acreditam que são grandes agentes de transformação, mas, no fundo, precisam desesperadamente de ajuda.

Seja o abraço, a luz, a poesia que falta no mundo. Pode ser você quem vai iluminar a vida das pessoas ao seu redor. Pode ser você quem vai mudar a vida de quem ainda está sem saber como despertar.

Transforme a si mesmo, todos os dias. Na direção da paz, da luz, da energia que emana de dentro. Vibrando na intensidade e no amor que existe desde que nascemos e está ali abastecendo o seu coração.

LIÇÃO 54

ESTEJA COM QUEM ABANA SUAS CHAMAS

"Em nível de alma, somos todos um."

Rumi

Muitas vezes ficamos desapontados. Estamos cheios de planos para seguir a vida em frente, e logo encontramos pessoas que jogam baldes de água fria em nossos projetos. Eu já me abalei em algumas circunstâncias, quando ouvia todo mundo e queria aprovação externa. Hoje, só fico do lado de quem abana minhas chamas.

Ok, você pode achar estranho eu dizer isso, pode achar que tanto faz se as pessoas levam a sério nossos projetos ou não, mas a verdade é que quando estamos numa egrégora, juntos com pessoas que estão dispostas a fazer tudo umas pelas outras, as coisas entram numa outra energia.

Eu acredito que, dentro de uma egrégora onde todas as pessoas vibram na mesma energia, naturalmente potencializamos nossos desejos, manifestamos de maneira muito mais forte aquilo que pensamos e sentimos.

O pensamento tem poder, e a força do sentimento compartilhado tem mais ainda. Então, olhe bem para as suas conexões. Elas te inspiram a ser melhor? Elas te impulsionam? São pessoas que querem progredir na vida ou preferem ficar estagnadas na reclamação, na vibração do pessimismo, sem conseguir fazer nada por si mesmas e pelos outros?

Entre em sintonia com quem estiver a fim de ir junto, de lutar junto, de crescer e evoluir, e a vida é feita de ciclos. Muitas vezes será preciso encerrar alguns para entrar em novos muito mais compatíveis com você.

Cresça, deixe-se apoiar em quem te valoriza e valorize quem está perto. Não se diminua por ninguém.

A sua luz brilha mais forte quando você tem um grupo ao seu lado torcendo por você.

LIÇÃO 55

TENHA PRAZER NO SEU DIA A DIA

"Não duvide do valor da vida, da paz, do amor, do prazer de viver, de tudo o que faz a vida florescer."

Augusto Cury

Quando o coração é seu GPS, a vida fica muito mais simples de ser vivida. Você vive num grau de espontaneidade maior, com uma grande vontade de viver as coisas boas, de estar com pessoas que te fazem bem, de se divertir. Você coloca prazer na sua vida.

Já avaliou se a sua vida tem sido uma odisseia de responsabilidades e checklists ou se você está vivendo verdadeiramente? Já sabe se tem tido prazer no seu dia a dia? Às vezes, colocamos tantas metas de longo prazo que nos esquecemos de viver o dia a dia, as coisas cotidianas. Esquecemos de ver a beleza das manhãs, das coisas pequenas que nos acompanham.

Se a sua vida está assim, cheia de preocupações, ansiedade, estresse, e você não consegue estar onde está com corpo, mente e coração, pare imediatamente. Você precisa estar aqui. Precisa parar, respirar e observar os momentos simples.

Não tem pote de ouro no final do arco-íris. A beleza está na infinidade de cores de cada dia. Nas nuances. Perceba o que gosta e inclua no seu dia. Perceba o que te faz bem, o que faz seu coração pulsar, o que deixa seu dia mais gostoso e inclua essas tarefas na sua rotina.

Eu, há pouco tempo, descobri o prazer de dançar, e tenho feito aulas de dança todas as semanas. Esse é um prazer que me deixa bem, meu corpo e minha alma vibram com isso.

Faça algo por você. É você quem tem que descobrir esses prazeres escondidos na sua rotina, ou criar momentos que te tragam algo. Perceba como está o seu estado e mude esse estado, encontrando alegria e leveza em tudo o que faz.

LIÇÃO 56

RETIRE O PESO DA SUA VIDA

"Só uma palavra nos liberta de todo o peso e da dor da vida. Essa palavra é o amor."

Sófocles

O coração pede paz. Pede leveza. E é hora de enxergar quanto peso você carrega nele. Para liberar esse peso, é preciso olhar para todas as suas relações.

Em algum momento você esqueceu de perdoar alguém? Guardou uma mágoa ou brigou e deixou para lá? Tudo isso vai deixando o coração endurecido. A gente vai carregando um peso aqui, outro lá e, quando vai ver, perde a capacidade de amar, de se entregar para as relações de verdade.

Muitas pessoas que conheço parecem rochas. Fortalezas. Pessoas inteligentes, mas que não deixam ninguém acessar seus corações pelo simples fato de que se decepcionaram muito ao longo da vida e, por isso, têm medo de abrir a guarda. Só que a gente precisa se libertar do peso, da mágoa, de tudo o que prende, para abrir o coração e poder viver uma vida feliz.

Algumas pessoas me perguntam "Patricia, você está sempre bem! Como consegue?", mas a verdade é que eu não acordo assim todos os dias. É um treino mental. Eu acordo, faço meditação, cuido da mente, do espírito, das emoções, do corpo. Não deixo a energia e a vibração caírem, e quando vejo que estou começando a mudar, já silencio e pergunto ao meu coração: "Do que você precisa?" Às vezes, a resposta é: "De uma gentileza consigo mesma. Uma noite de repouso maior, uma brincadeira. Faça algo por você."

A verdade é que podemos e devemos observar nosso estado o tempo todo. Precisamos nos ater a isso e entender até mesmo quando vamos deixando o coração endurecer. Porque é isso que nos faz ficar parados na vida, sem conseguir participar de tudo o que a vida nos traz de bom.

Tenha coragem de amar, de perdoar, de viver, de se relacionar. Não se feche no seu mundo, se armando, deixando o coração num lugar seguro para que ninguém o magoe.

Olhe para si mesmo com amor.
Retirar o peso da sua vida é querer ficar livre de mágoas, reclamações, insatisfações, tristezas. É entender que para um coração funcionar melhor — e quando eu digo isso não quero dizer do funcionamento físico — ele precisa estar limpo e livre de todas as toxinas emocionais. Para isso, você precisa decidir deixar todo esse peso para trás.

@patriciameirelles

LIÇÃO 57

SENTIR É ROMPER COM PADRÕES

"Por detrás da máscara de gelo que as pessoas usam, há um coração de fogo."

Paulo Coelho

Sempre que sou contratada para apresentar um evento ou dar uma palestra para empreendedores, sei que quando entro em cena, muitas vezes esperam de mim algo como técnicas e fórmulas prontas que façam sentido em seus negócios. E a primeira coisa que eu digo é que não há nenhuma fórmula mágica para algo dar certo. É só colocar seu coração em tudo o que faz que as coisas ficam mais fáceis.

Quando digo isso, uns respiram aliviados. Eles estão cansados de tanto usar máscaras no mundo corporativo e fingir que são algo que não são. Já outros não conseguem entender. Tentam racionalizar conceitos. E eu me pergunto: **por que muita gente quer fugir da sua verdadeira essência? Do sentir?** Você, sinceramente, acha normal colocar uma máscara e esconder quem é de verdade?

Observo bastante a tecnologia do sentir e percebo cada vez mais o que os grandes mestres sempre disseram como verdade: quando estamos sem sentir, a vida se torna chata, repetitiva, uma série de padrões repetidos e performances que nos levam a sermos iguais uns aos outros. Ficamos no intelecto e esquecemos nosso campo emocional. Esquecemos que a capacidade de sentir é que nos torna humanos e que as máquinas fazem muitas coisas melhor que nós, mas são incapazes de transmitir afeto, carinho, palavras de conforto e olhar cheio de energia.

Se começamos a viver a partir do mundo dos sentidos, ficamos mais conectados a algo conhecido como "autenticidade emocional" e que falo no meu primeiro livro *A arte da conexão*, lançado em 2019.

Eu acredito que precisamos entender melhor o que estamos sentindo em relação a tudo, para que possamos nos expressar de verdade, sem medo do que os outros irão dizer, sem querer fazer parte de grupos ou fingir que somos algo que não somos. Muitos de nós criam essas máscaras e ficam nelas durante muito tempo. Não conseguem mais sentir quem realmente são porque ficam representando papéis, e isso nos faz cada vez mais rígidos, cada vez mais iguais uns aos outros.

Diferencie-se através do sentir. Tocando as pessoas na alma, sentindo a si e aos outros você se comunica melhor, entende melhor, é capaz de viver com mais autenticidade e agilidade emocional.

Não se acovarde diante dos robôs que não querem que você sinta a vida em sua totalidade. Sinta, fale com o coração. E quem se conectar com você estará na sua tribo.

LIÇÃO 58

SEJA ÍNTEGRO CONSIGO MESMO

"Quem não é íntegro é refém
de um pedaço *fake* de si mesmo."

Daniel Castanho

Nas minhas redes sociais tenho milhares de seguidores, e nem sempre agrado com o que posto porque as pessoas têm opiniões diferentes da minha. Mas, se eu fizesse uma rede sob medida para agradar a minha audiência, eu estaria sendo autêntica? Estaria sendo íntegra comigo mesma? Certamente não. Eu estaria criando um personagem. Quantos de nós não fazem isso para alimentar a audiência e acabam deprimidos, angustiados, porque sabem que aquilo não corresponde ao que pensam de verdade?

Outro dia, numa entrevista com o Daniel Castanho, presidente do conselho da Ânima Educação, ele falou muitas coisas interessantes sobre integridade e disse que devemos ser íntegros com a gente mesmo. Eu fiquei ali pensando quantas vezes tinha deixado de fazer o que gostava, como gostava, porque queria agradar alguém. E se criamos esse pedaço *fake* de nós mesmos, ficamos reféns desse pedaço. Precisamos criar um *storytelling* para sustentar aquela versão montada que não corresponde ao que somos de verdade.

Para ser de verdade é preciso se conhecer, e para se conhecer é preciso ouvir o próprio coração. É preciso estar atento ao que ele diz e ser fiel à própria essência.

Quantas vezes vamos andar por caminhos errados porque estamos sendo conduzidos pelo ego e pela razão? Por que queremos passar uma falsa impressão? Por que queremos pertencer a um grupo?

Ser você mesmo é a maior lição que você pode ensinar para seus filhos, porque quando somos quem somos, somos felizes. De mente e alma. E realizamos aquilo que queremos.

LIÇÃO 59

ACIONE SEUS SUPERPODERES

"Mude sua frequência e mude tudo."

Penney Peirce

A gente nem percebe e cai em armadilhas que reduzem nossa vibração e, assim, a frequência vai lá embaixo, nos fazendo entrar em desarmonia. A pergunta que muita gente me faz é: "Patricia, como deixo a energia sempre em alta?"

Para elevar a sua frequência, você precisa deixar alguns hábitos de lado, como fazer intriga, falar mal das pessoas, reclamar, ser ganancioso, assistir programas com violência, ouvir músicas desarmoniosas, ouvir pessoas pessimistas e se alimentar com comida industrializada, além de fumar e ficar sempre grudado no celular.

Depois de tudo isso, é hora de jogar a energia lá em cima. De que forma? Fazendo uma acupuntura, tomando bastante água mineral, caminhando na natureza, abraçando árvores que te trazem energias positivas, fazendo caridade, usando pedras de poder, mandalas, meditação, mantras, respirando longa e suavemente.

Para subir a frequência, você também pode rir de si mesmo, assistir a uma comédia, ingerir mais frutas, legumes e vegetais, buscar homeopatia, Reiki, ioga, tomar Sol, andar descalço e ouvir sons da natureza. Tudo isso te aproxima de uma conexão com algo maior.

Recentemente, fiz uma viagem à Tanzânia e aproveitei para me reconectar comigo mesma. Lá, no meio da natureza exuberante, eu ficava com o pé na areia e tomava banhos de mar frequentes, desintoxicando corpo, mente e espírito, buscando preencher meu coração e mente de coisas positivas. É assim que me reabasteço.

Mas é claro que não precisamos fazer uma viagem para isso. Dentro da sua casa está o segredo. Dentro de você existe a fórmula para conseguir subir a frequência. Elevando-se, você sintoniza com o plano divino e consegue materializar a vida dos sonhos e se conectar com pessoas na mesma sintonia.

Não deixe seu padrão vibratório cair.
Sua frequência faz sua vida.

LIÇÃO 60

ACEITE A MÁGICA

"Ainda acredita em mágica?"

Coldplay

De todas as sincronicidades que já tive em minha vida, a mais importante delas foi quando eu conheci o Thomas, meu marido. Eu sentia que estava com uma energia diferente quando o conheci. Era uma época em que eu começava a estudar os fenômenos da Física Quântica e fazia inúmeros cursos para me aprofundar no assunto.

No dia que o conheci, tomaríamos um café descompromissado, a pedido de um amigo em comum, para conectá-lo a um grupo de empresários e benfeitores que eu coordenava. Tínhamos agendado um encontro no shopping, e logo que ele entrou começou a tocar a música que tinha ligação com a história de amor dos meus avós. Era uma música instrumental, incomum, que era tão especial para eles que tinha sido usada em um vídeo homenageando meu avô.

Imediatamente, eu me lembrei da minha avó, que sempre me dizia que quando eu conhecesse a pessoa certa, eu ia sentir. E ali, diante dele, eu senti. As borboletas no estômago, todo o amor. Levei a coincidência a sério. Era improvável tocar justamente a música que tinha no vídeo que fizemos de homenagem para o meu avô naquele momento que eu sentia o frio na barriga que sempre esperava sentir.

Nosso segundo encontro não demorou muito para acontecer, e logo depois ele me contou que no dia que nos conhecemos ele chegou em casa e não conseguia dormir. Ficava perguntando a si mesmo o que estaria acontecendo. Nosso relacionamento começou algumas semanas depois, e seis meses após o primeiro encontro ele me pediu em casamento.

Tínhamos uma música que marcava muito a nossa relação, que era *Magic*, do Coldplay. A música dizia "Eu chamo de magia quando estou com você", e isso representava exatamente o que nós sentíamos quando estávamos juntos. No dia que ele me pediu em casamento, contratou uma cantora para cantar essa música, um violonista para tocá-la, e fez o pedido no mesmo lugar que tínhamos nos encontrado pela primeira vez, tornando aquele momento mágico de verdade. Aquela cena foi uma das coisas mais inimagináveis que já aconteceram em minha vida, e a sequência de sincronicidades me faz crer que eu estou de fato diante da minha alma gêmea.

Outra sincronicidade aconteceu quando eu escrevia este livro. No final da gestação eu comecei a me aprofundar no termo "sabedoria do coração", buscando cursos a respeito do tema. Nessa época, ao tirar uma foto da barriga, surgiu na imagem um coração, que assimilei como um sinal. Pois bem: minha filha nasceu com um coração na testa, literalmente. Uma marquinha em formato de coração. Aí, certa noite, saindo de um banho e uma meditação, enquanto pensava sobre isso, olhei para o chão. Quando percebi, ali havia uma marca de coração!

O que aquilo queria me trazer como resposta?

Quando estamos em sintonia com a sincronicidade, entendemos a coincidência, nos tornamos participantes ativos de uma camada mais profunda da vida. No livro *Pathways of chance*, David Peat diz o seguinte:

As sincronicidades podem acontecer quando as pessoas entram em momentos de crise ou mudança, quando estão apaixonadas, envolvidas num trabalho altamente criativo ou à beira de um colapso. São momentos em que os limites da mente e da matéria são transcendidos.

É por isso que quando as sincronicidades acontecem é como se o Universo estivesse disposto a nos oferecer um guia que nos ajuda a ir em alguma direção. Precisamos estar conectados para sentir isso.

Você está aberto à mágica que pode acontecer em sua vida?

LIÇÃO 61

A MÚSICA CONECTA

"O simples fato de a música existir e de poder o ser humano ficar comovido por uns poucos compassos sempre significou para mim um profundo consolo e uma justificativa de vida."

Herman Hesse

O cardiologista alemão Hans-Joachim Trappe certa vez estudou o efeito da música numa CTI e publicou na revista *Heart* os seus resultados. Os maiores benefícios constatados nos doentes foram conseguidos com música clássica, sobretudo com Bach, Mozart e compositores italianos. O fluxo cerebral, avaliado por ecografia na artéria cerebral média, diminuía significativamente nos doentes que ouviam essas músicas.

Segundo pesquisadores, a música molda nosso caráter, e cada pessoa pode trazer para dentro de si a harmonia. Essa harmonia influencia nossos pensamentos, emoções, saúde, movimentos do corpo, e todo o bem-estar. Curiosamente, os psicólogos concordam que a música que ouvimos condiciona nosso estado emocional. Você sabe por que isso acontece?

Em primeiro lugar, a música condiciona as nossas emoções e pode alterar nosso estado. Se escutamos uma música desconhecida, ainda assim somos capazes de identificar sua emoção. Conseguimos sentir exatamente o que o músico quis expressar através dela, e é por isso que quero te dizer, a partir de hoje, que você pode escolher sua tonalidade emocional através de uma música. Ela pode deixá-lo mais alerta, melancólico ou alegre, e muda a emoção em questão de instantes. Pode nos relaxar ou nos deixar em estado de euforia.

Podemos usar essa ferramenta a nosso favor para mudar a nossa fisiologia, pois a música tem uma espécie de assinatura fisiológica. Ela mexe com a temperatura, o batimento cardíaco, o ritmo e a respiração. Ela impacta no corpo como um todo. E, além disso, algumas zonas cerebrais se ativam de forma diferenciada quando ouvimos determinados tipos de música.

Os efeitos psiconeuroimunológicos são muitos.

A música reduz o estresse, a ansiedade, e nos faz sentir mais emoções positivas.

Com tantos benefícios, não podemos desprezar uma boa música, nem deixar essa ferramenta de lado.

Comece seu dia com música e veja os efeitos que isso vai gerar na sua vida.

LIÇÃO 62

IOGA, UM SANTO REMÉDIO

"Não leve as experiências da vida tão a sério. Não deixe, principalmente, que elas o magoem, pois, na realidade, nada mais são do que experiências de sonho... Se as circunstâncias forem ruins e você precisar suportá-las, não faça delas uma parte de você mesmo. Desempenhe o seu papel no palco da vida, mas nunca esqueça de que se trata apenas de um papel. O que você perder no mundo não será uma perda para sua alma. Confie em Deus e destrua o medo, que paralisa todos os esforços para ser bem-sucedido e atrai exatamente aquilo que você receia."

Paramahansa Yogananda

Há pouco tempo comecei a fazer algumas práticas de ioga. Nunca imaginei que essa prática, que conecta corpo, mente e espírito, pudesse trazer tantos benefícios em tão pouco tempo. As técnicas mais comuns são as posturas e os exercícios respiratórios, que parecem remédio contra dores e problemas. Ela equilibra emoções, regula os sistemas ósseo, muscular, cutâneo, nervoso e digestivo, e é um verdadeiro bálsamo de dentro para fora, além de qualquer um poder fazer em qualquer lugar onde estiver.

Em poucos dias, senti minha energia vital mudar. Tornei-me mais ativa, menos cansada, mais equilibrada e percebi que estar em equilíbrio tem a ver com essa prática. A prática constante da ioga melhora a saúde do sistema cardiovascular, reduz a frequência cardíaca e a pressão sanguínea e faz com que nosso coração consiga bombear o sangue com mais eficiência e oxigênio. Por isso, ela alinha nosso coração a todo o nosso sistema nervoso. Além disso, as posturas também ajudam a respirar melhor, e isso acaba fortalecendo o sistema imunológico.

Com o tempo, meu instrutor diz que ganhamos mais consciência e deixamos de ser vítima de nossos pensamentos. Deixamos de ser reativos e passamos a ser mais conscientes. Passamos a diminuir aquele barulho mental que não nos deixa parar, pulando de um pensamento para outro, e desenvolvemos uma concentração maior, que nos ajuda no dia a dia.

A ioga também ajuda a nos encontrarmos com a nossa verdadeira essência e ganhar um estado de paz contínuo. Mas não vale fazer uma vez só. Como tudo na vida, tem que ter consistência.

Pode ter certeza de que você se torna uma pessoa bem melhor depois de se dedicar a si mesmo.

LIÇÃO 63

PODE CHORAR À VONTADE

"Chorar é diminuir a profundidade da dor."

William Shakespeare

Eu nunca fui muito de chorar. Na adolescência, tive períodos de maior vulnerabilidade, quando estava bem acima do peso e me escondia no quarto. Depois de adulta, passei a ter controle das emoções, mas esqueci que controlar nem sempre é a melhor forma de se regenerar o corpo.

Hoje sei que, se tenho vontade de chorar, não devo controlar essa vontade.

O choro é uma das melhores terapias que existem para a saúde física e emocional. As lágrimas podem aumentar a sensação de felicidade e diminuir uma dor. Elas lubrificam pálpebras, diminuem o nível de manganês, que nos traz sensação de alívio depois das lágrimas e produzem um efeito analgésico. Só para você ter uma ideia, a leucina encefalina, presente na lágrima, nos traz uma sensação de alívio semelhante à da morfina.

O choro literalmente esvazia seu sistema, te acalma e ajuda, ainda, a digerir melhor as coisas. Ele libera ocitocina, um hormônio que te traz uma sensação de calma.

O benefício do choro é inquestionável para o coração, para o corpo e para a alma. É um pedido de socorro que você não pode deixar de atender. Seu corpo vai se recuperar melhor e se reequilibrar naturalmente. Deixe-o chorar. Não segure o choro, como te diziam para fazer quando você era criança.

O choro é o primeiro grito do bebê ao nascer. O primeiro choro é o que ajuda os pulmões de um bebê a se adaptarem à vida no mundo exterior. Chorar também ajuda o bebê a limpar qualquer líquido extra nos pulmões, nariz e boca.

**Pode chorar quando der vontade.
Chorar liberta e te reconecta
consigo mesmo.**

LIÇÃO 64

RESPEITE SEU RITMO

"A confusão é o melhor recurso para quebrar um padrão."

Tony Robbins

Muitas pessoas que conheço vivem correndo contra o tempo. Cansadas, esgotadas, sem tempo para sentir cheiro, ver cores, dar abraços, sorrir. Estão vivendo como zumbis e não param para respirar, para olhar para a vida como um evento cheio de mistérios.

Essas pessoas geralmente não respeitam seus ritmos, não têm amor a si mesmas e nem à vida. Não desfrutam desse magnífico evento de que participamos. Como dizer para uma pessoa dessas acessar a inteligência do coração, se ela não respeita o ritmo cardíaco, não respeita o ritmo do corpo e o ritmo da vida?

Por isso é que sempre digo: o respeito ao ritmo é uma das coisas mais fundamentais para o ser humano. Precisamos urgentemente parar para ouvir o nosso corpo, as nossas reações, ajustar os ponteiros e criar dinâmicas que favoreçam um espaço de entrosamento com a gente mesmo.

Eu adoro meditar, tirar férias, dar pausas. Respirar. Porque é nesses momentos que olhamos para o que há de mais valioso: nossa vida.

Precisamos criar espaços na agenda para reverter essa confusão que fizemos com nossas vidas. Precisamos dar espaço para o nosso coração sintonizar conosco, para escutar o que o nosso corpo tem a dizer, para entender o que a vida pede naquele momento.

Eu já tive épocas na vida em que trabalhei mais do que deveria. E me desgastei. Física, energética e mentalmente. Paguei o preço, literalmente. Cresci profissionalmente, mas vi meu coração em desagrado.

E aí te pergunto: tantos empreendedores falam de "trabalhar enquanto eles dormem", mas será que isso traz algum benefício? Ou te faz ficar mais estressado, cansado e em desalinho consigo mesmo?

Eu, quando durmo bem, tenho melhores ideias. Quando relaxo, rendo no trabalho em uma hora o que faria em sete. Cansado, nosso corpo não consegue fazer nada direito. Nossa cabeça dá um grito de socorro.

Precisamos contestar essas falácias do mundo moderno sobre produtividade, porque ser produtivo é estar em sintonia com seu ritmo natural, e não com o ritmo imposto pela sociedade.

Faça a sua vida valer a pena. Viva no seu ritmo.

LIÇÃO 65

OBSERVE SUA FISIOLOGIA

"Demônios podem ser expulsos do coração, pelo toque de uma mão ou de uma boca."

Tenesse Williams

Você já deve ter lido algo sobre o poder da fisiologia. Se ainda não leu, vou te contar um pouco do que aprendi sobre isso.

A fisiologia é uma das ferramentas que temos para mudar um estado e produzir resultados imediatos. É como se fosse uma alavanca que une corpo e mente, porque se você muda a sua postura, sua respiração, você muda seu estado. E é dessa forma que podemos controlar nosso cérebro, para que ele entenda que estamos bem. Mudando a fisiologia, dizemos para ele que estamos bem.

Sempre que temos uma emoção, temos uma mudança em nossa fisiologia. Na postura, na expressão facial, no movimento. Seu sistema nervoso se comunica com seu corpo o tempo todo.

Se estamos numa situação que nos causa medo, mudando a forma de respirar, transmutamos imediatamente as sensações ruins e nos sentimos mais leves. Se uma crença de que algo está indo mal te afeta, seu corpo responde no mesmo instante. Se a crença é de que está tudo bem, você também passa a acreditar, com seu corpo correspondendo a tal gatilho.

Emoções e estados negativos podem nos matar. Mas como sair disso?

No livro *Anatomy of a Illness*, Norman Cousins descreve como conseguiu se recuperar milagrosamente de uma doença através do riso. Ela pensava em como dar risada conscientemente e fazia esforço para mobilizar sua vontade de viver. A maior parte do tempo ela usava para rir, com a ajuda de filmes e livros. Dessa forma, ela avisava ao sistema nervoso como ele deveria reagir. Ela descobria mudanças imediatas, a dor era aliviada e sua recuperação se deu dessa maneira.

Nossa própria expressão facial pode determinar um cérebro mais propenso a sentir determinadas emoções.

Em outras palavras, se temos uma emoção, ela se mostra no rosto, mas se você sorri, o corpo é capaz de sentir determinada emoção.

Observe a si mesmo.
Coloque um sorriso
no seu rosto.
Treine a si mesmo
para ser feliz.

@patriciameirelles

LIÇÃO 66

A ALIMENTAÇÃO MUDA SUA ENERGIA

"Coma menos, viva mais."

Dr. Ray Walford

Precisamos constantemente nutrir o nosso corpo, e tudo o que comemos e o ar que respiramos são nossos combustíveis.

Muitos estudiosos dizem que a chave para a boa saúde é comer alimentos ricos em água. Oitenta por cento do nosso corpo é feito desse líquido, e por isso eu incorporo na minha dieta alimentos ricos em água, ou seja, frutas e vegetais em abundância.

Comer alimentos ricos em água faz seu sistema funcionar melhor. Do contrário, ao invés de fazermos nosso corpo agir a nosso favor, ele age contra nós. Se a nossa corrente sanguínea tem muitos resíduos, não ficamos fortes, vibrantes e saudáveis.

O que quero dizer com isso? Que conforme comecei a prestar mais atenção na minha alimentação, mais vida comecei a sentir no meu corpo. É preciso comer muita salada, frutas e, efetivamente, combinar alimentos para ter uma vida mais saudável e, assim, tudo mudar, porque você se sente mais disposto e colabora com as suas emoções. Não é possível ter emoções positivas se seu organismo está intoxicado de açúcar e carboidratos, se você só ingere alimentos que não te nutrem e te deixam mais vivo.

Lembre-se: se você quer ter bem-estar efetivo, corpo, mente e espírito equilibrados, não pode sobrecarregar seu sistema com alimentos nutricionalmente pobres. É preciso auxiliar seu processo digestivo e fazer com que os alimentos ajam em seu favor.

A qualidade da nossa fisiologia afeta nosso comportamento, e a dieta pode nos nutrir ou envenenar. Só depende das nossas escolhas.

LIÇÃO 67

VOLTANDO À ESSÊNCIA

"O sofrimento é mensageiro de uma lição,
a alma envia a doença para nos corrigir
e nos colocar no nosso caminho novamente.
O mal nada mais é do que o bem fora do lugar."

Dr. Edward Bach

A Organização Mundial da Saúde já decretou: ter saúde é estar com os aspectos físicos, mentais e sociais alinhados. Há muito tempo eu uso os florais de um médico chamado Dr. Edward Bach para estar em alinhamento com a minha essência.

Se você acha isso bobagem, saiba que Bach elaborou as essências florais quando, durante uma gripe que exterminou grande parte da população mundial, percebeu que o aspecto emocional era decisivo para que alguns não adoecessem.

Todos sabemos que, quando estamos em desequilíbrio, surge algum incômodo físico em nosso corpo. O Dr. Bach percebeu que havia uma relação entre os desequilíbrios emocionais e o adoecimento. Ele dizia que a doença do corpo é o produto final de algo muito mais profundo. A doença se origina acima do plano físico, mais próximo do mental. É o resultado de um conflito entre nosso Eu espiritual e nosso Eu mortal. Quando esses dois eus estão em harmonia, temos saúde perfeita, mas quando existe discórdia, adoecemos.

O que quero dizer com isso? Que temos ferramentas para voltar à essência quando estivermos em conflito ou sofrimento. As essências florais atuam no campo da consciência e podem nos auxiliar a encontrar as causas emocionais de um sofrimento.

A doença é um erro produzido no corpo, resultado do conflito interno entre mente e alma. Quando coração e cérebro estão tão desconectados que não sabemos para onde ir.

A cura se dá quando atacamos o motivo real do sofrimento. E, se voltamos à essência, podemos até reverter quadros de doenças, desde estados de gripe até problemas mais graves.

A terapia de florais me ajudou desde sempre. Por não ter qualquer efeito colateral, ela pode ser útil para que estejamos mais alinhados com nossa essência, nosso propósito de alma e prevenção de doenças.

Voltar à essência
é viver em harmonia
consigo mesmo.
Não há nada que traga
mais paz de espírito.

@patriciameirelles

LIÇÃO 68

BEM-ESTAR NA VEIA

"Deve haver algo bom na acupuntura.
Afinal, você nunca vê porcos
espinhos doentes."

Robert Goddard

Eu sou uma pessoa que vive buscando estratégias para o bem-estar integral. Mesmo casada com um médico, sei que temos estratégias fora da medicina tradicional para nos sentirmos bem, como por exemplo a acupuntura.

A medicina chinesa sempre me encantou por diversos motivos: ela alivia o estresse e nos faz relaxar, por isso se tornou minha melhor alternativa — principalmente na gestação, quando eu me sentia indisposta.

Muitas mulheres, como a cantora Celine Dion, usaram o método até mesmo para engravidar. Outras, para o trabalho de parto, e inclusive para enxaquecas.

A cantora Ivete Sangalo usa acupuntura para aliviar e cuidar da voz; outras famosas e empresários usam para tratar dores; atletas usam para tratamentos alternativos e emocionais.

É bom saber que sempre temos algo a que recorrer para estarmos bem, e que o bem-estar é nosso direito divino. Alinhados, temos mais ferramentas para viver em harmonia no nosso dia a dia, estarmos equilibrados no ambiente de trabalho, termos um melhor fluxo de ideias e uma vida mais serena e tranquila.

Sempre aciono meus profissionais de emergência, e vale dar uma olhada nos espaços que oferecem esse serviço na sua cidade, já que a acupuntura se tornou uma prática recomendada pela medicina.

**Use e abuse de tudo
o que te faz melhor.**

**Não dá para viver a vida
com pouca energia.
Tem que viver a vida
por completo.**

LIÇÃO 69

MATERNIDADE COMO RECONEXÃO

"Amor de mãe é a mais elevada forma de altruísmo."

Machado de Assis

Desde que a Maria Alice nasceu, eu posso dizer que sou uma pessoa melhor. Em todos os sentidos. Não há nada que nos faça nos aproximar mais de nossa essência do que a maternidade.

Ter ao lado uma pessoa que depende de seus cuidados 100% não é fácil. Nos sentimos responsáveis por outro ser humano e ficamos com medo de não dar conta de tudo. Só que aparece uma nova força. Uma que vem de dentro, que é de onde a gente nem suspeita como nasceu — e ela vem com o nascimento de um filho, para nos aproximar de quem somos.

Com o nascimento da Maria Alice, minha vida ficou mais leve, mais divertida. Riso fácil, vontade de ser melhor, de deixar meu legado, de construir pontes e um futuro melhor para que ela possa viver nele. É disso que a inteligência do coração trata: **de se reconectar com quem você é**. E nada nos traz uma reconexão mais autêntica e maior do que gerar uma vida.

Percebi que meu marido também teve mudanças consideráveis em seu comportamento. Ele já era carinhoso, caridoso, generoso e cheio de bondade, mas com a paternidade ficou ainda mais sensato, mais aberto às alegrias do dia a dia, mais perto de si mesmo.

Muitas vezes, procuramos fora a oportunidade de reconexão quando, na verdade, estamos diante dela. Porque ela está na simplicidade de um café da manhã com a criança que geramos, trazendo perguntas, falas, curiosidades. E, se aguçarmos nossa percepção, somos melhores quando nos deixamos invadir por esse amor contínuo e intenso que as crianças nos trazem.

Estou certa de que a maternidade é uma ferramenta de autoconhecimento. Eu me conheço nas mais profundas entranhas e sei que sou capaz de dar o mais profundo amor para outro ser humano, desde que ela nasceu.

É de amor que somos feitos.
É amor que plantamos.
É amor que deixamos.

Conectar-se com o fruto desse amor é a prova de que somos seres divinos. Verdadeiros criadores que podem trazer uma vida à Terra.

@patriciameirelles

LIÇÃO 70

COMO RECUPERAR A CHAMA INTERIOR

"A natureza é o único livro que oferece conteúdo valioso em todas as folhas."

Goethe

O mestre Sadhguru costuma dizer que fazemos de tudo para nos protegermos.

Para o mestre, nosso sistema educacional nos ensina sobre todas as coisas, exceto sobre nós mesmos. Nada nos é ensinado sobre a mente, e ela se volta contra nós. Sofremos com o que aconteceu há dez anos e sobre o que ainda não vivemos. Nossa memória e nossa imaginação nos fazem sofrer. De acordo com ele, sofremos por um vívido senso de memória e um fantástico senso de imaginação.

Sofremos das nossas capacidades. Nosso cérebro é nosso inimigo. Os seres humanos sofrem enquanto os animais não sofrem porque não estamos intensamente concentrados no agora. E o tempo vai passando. E devemos decidir onde queremos investir nossa vida e nosso tempo. Se investirmos em algo que vale a pena, não teremos apenas uma chama. Estaremos incendiados o tempo todo.

Por isso é que eu sempre digo: medite, respire, tente tirar a sua mente desse estado que te limita. Faça com que ela trabalhe a seu favor, e não contra você. Você pode mudar sua vida estando presente em cada momento, fazendo aquilo de que gosta e eliminando as distrações que te levam para o passado e para o futuro.

**Só dentro desse alinhamento
é que sentimos a vida de verdade.**

Experimente.

LIÇÃO 71

REPROGRAME SUA MENTE

"Um homem dono de si mesmo pode dar fim a um desgosto com a mesma facilidade com que inventa um prazer. Não quero sentir-me à mercê das minhas emoções. Quero experimentá-las, gozá-las e dominá-las."

Oscar Wilde

Quem me acompanha nas minhas redes sociais geralmente acha que eu sou alegre 100% do meu dia. A verdade é que ninguém vê o treinamento mental que existe há anos para que eu me tornasse a pessoa que sou hoje. Ninguém acorda visualizando unicórnios saltitantes, e isso é treinamento mental, porque você dificilmente terá bons sentimentos se não controlar sua mente.

Quando a sua avó dizia "Cuidado com o que deseja, porque você pode conseguir", essa era uma verdade absoluta. É com as palavras que a gente comunica o que quer para o mundo. Elas são sementes. Se você não está habituado a meditar, pode ter a prática de ouvir afirmações positivas quando estiver sem fazer nada, no trânsito ou na academia. Porque dispersar a mente é a pior coisa que pode acontecer: você pode se trair e de repente estar sentindo coisas nada agradáveis.

Se mantemos uma postura emocional e mental que favorece o que a vida quer nos oferecer, conseguimos nos comunicar melhor com o Universo e temos responsabilidade por nossas palavras e ações. E reprogramamos nossas crenças.

As crenças são coisas que trazemos lá da infância e que foram impostas sem que percebêssemos. Internalizamos essas crenças porque quando pequenos não somos capazes de discernir o que é certo e o que é errado. Tudo o que vemos nossos pais fazendo é certo para nós.

No entanto, podemos reprogramar nossa mente — a consciente, a inconsciente e a subconsciente — se nos dedicarmos a ouvir áudios com repetições que nos façam sair do padrão negativo. Dessa forma, conseguiremos criar padrões positivos.

Como? Além de ouvir áudios com afirmações, também podemos reprogramar a mente com mantras, hipnose, visualizações positivas e afirmações de repetição constante.

**Aposte nisso
no seu dia a dia
e depois me escreva
contando o que mudou!**

LIÇÃO 72

SENTIMENTOS SÃO COMBUSTÍVEIS

"Imagine que seus pensamentos são um foguete e seus sentimentos o combustível."

Rhonda Byrne

Sentir é a chave de tudo.

Muita gente acha que se sentir mal é estar triste, com medo, mas o que ninguém nos conta é que existem níveis de negatividade que não conhecemos. Sentir-se normal e não se sentir mal, é sentir-se bem?

Para você, o que é se sentir bem?

A verdade é que bons sentimentos fazem você se sentir mais feliz, mais alegre, entusiasmado e energizado. Quando estamos "mais ou menos" não sentimos nada bom, mas também nada ruim.

Para saber como é bom ter sentimentos de entusiasmo, frio na barriga, amor constante e brilho nos olhos, lembre-se de quando você estava apaixonado. Parece que tudo fluía na sua vida, não?

Quando não enxergar nenhum sentimento bom, mude isso. Faça uma lista de tudo o que ama e concentre-se nela. Quando pensar nessas coisas, intensifique o sentimento e perceba como se sente depois.

Há alguns anos fiz um caderno de gratidão, que comercializei nas minhas redes. Foi um verdadeiro sucesso porque as pessoas me diziam como fazia tempo que não se sentiam tão bem. Relembrar os motivos que nos fazem sentir gratos é uma das chaves para perceber as coisas boas na nossa vida.

Tome muito cuidado com seus sentimentos, porque existe uma conexão entre eles e o mundo físico. A vida responde a nós o tempo todo e somos nós que dirigimos esse filme. Portanto, pare de criar na sua mente motivos para se sentir mal, como, por exemplo, achar que é uma péssima mãe, uma profissional terrível. Se você se cobra demais, por exemplo, provavelmente está dizendo para si mesma que não é boa o suficiente e criando registros do que você não quer, ao invés de criar registros positivos para sua vida.

Quando somos saudáveis, isso nos faz sentir bem. Quando estamos doentes, isso nos faz sentir mal. No entanto, os sentimentos podem nos mover para onde queremos, porque basta sentir algo bom que as coisas naturalmente mudam de figura.

Você precisa irradiar felicidade para receber mais felicidade, e isso não é conversa, porque a força do Universo é poderosa e responde em impulsos eletromagnéticos ao que emitimos.
A força do coração é a prova disso.
Não ignore seus sentimentos.
Se estiver mal por mais tempo que seu corpo suporta, perceba a si mesmo e tente decifrar o que te impede de se sentir bem.

Você merece estar bem.

LIÇÃO 73

PARE DE REPETIR PADRÕES

"Somos o resultado do nosso passado."

Monja Coen

Se começarmos a nos questionar, vamos perceber que temos muitas coisas dos nossos pais. Sempre achamos que somos muito diferentes deles, mas, no fundo, repetimos padrões o tempo todo.

Contudo, podemos mudar isso. Eu tenho uma amiga que tinha um hábito autodestrutivo e veio a perceber, na terapia, que ele vinha de sua mãe. Demorou para ela entender por que sempre tinha tendência de querer ficar mal quando estava perto de sua mãe: era assim que ela se sentia protegida e cuidada. Para sair desse padrão, ela teve que reconhecê-lo e compreender que, para sentir novos sentimentos, precisava reconhecer aquilo que estava ali em seu inconsciente.

Sempre digo que, quando não temos respostas, precisamos buscá-las no autoconhecimento. Terapias das mais diversas existem para nos ajudar a nos conhecermos melhor. É preciso tirar todo o peso para que a vida seja leve, para que tenhamos alegria de viver. Para que reconheçamos a benção dos dias em que somos presenteados.

Se estamos falando de agir com coração, alma e mente alinhados, precisamos perceber as cargas que carregamos que não são nossas e nos impedem de caminhar. Muitas pessoas encontram soluções na Constelação Familiar, outras em psicanálise ou terapia, mas o importante é fazer algo que te dê consciência daquilo que está atravancando seu processo de crescimento.

Trabalhe a si mesmo. Porque trazemos muita coisa que não é nossa, muita informação ancestral que levamos como lema para a vida e, no fundo, nem precisaria fazer parte dela.

Exista com leveza, com amor. Limpe as memórias que te trazem dor e desgaste emocional para que possa caminhar com segurança, fazendo uma trajetória de amor incondicional.

LIÇÃO 74

O BARULHO INTERNO QUE VOCÊ NÃO OUVE

"Ouça. Dentro de você há respostas."

Osho

O mundo é barulhento. Onde quer que você esteja, vê pessoas conversando, se comunicando de alguma forma. É raro ver pessoas em silêncio. E você, já se percebeu? Percebeu se respeita o silêncio? A ausência de comunicação com o mundo exterior é fundamental para percebermos o barulho que fazemos dentro da gente.

Eu já medito há algum tempo, e quanto mais medito, mais percebo como preciso ficar quieta. Os estímulos externos são muitos: televisão, música, celular. Parece que existem dezenas de armadilhas para distrair nossa mente.

Se conseguimos diminuir esse barulho, percebemos o nosso interior e como também somos cheios de ruídos. No silêncio fica claro como eles estão ali, e é difícil quando notamos que nosso maior adversário está dentro, e não fora de nós.

Quando não estamos fazendo absolutamente nada — nem física, nem mentalmente —, isso é meditação. Só assim compreendemos nossas questões internas, e aí o autoconhecimento fica mais profundo. Mas entrar em contato consigo mesmo é uma disciplina constante. Precisamos nos manter alertas para que nosso ser não seja perturbado. Precisamos aprender a simplesmente ser. E nos manter no centro.

Eu sou uma buscadora que está sempre em busca de mim mesma. De aprimorar a mim mesma. E essa auto-observação é uma prática constante para diminuir a hiperatividade do pensamento, que deixa nossa mente com excesso de informações negativas.

Aquietar o turbilhão mental que traz ansiedade, crises de pânico e desgaste físico é a maneira mais natural de dominar os pensamentos, porque a ansiedade é como um carrossel girando sem parar em torno de nada. Ela nos faz pensar sempre na mesma coisa — ou em várias — de maneira negativa.

Pensamentos acelerados, que não param nunca, nos deixam sem concentração — e muitas vezes nos enlouquecem. A mudança efetiva sempre acontece de dentro para fora.

Meditar é mais que uma técnica para aquietar a mente. É a sua natureza. É viver sem estar no futuro ou no passado. É estar exatamente onde você está, aquietando o barulho externo e interno, estando presente para a sua respiração. Para seu corpo, para seu ritmo. E, dessa forma, você se sente vivo. Você pode escutar a si mesmo. Pode viver uma vida menos condicionada aos estímulos externos e mais ancorada na sua paz interior. Lembre-se disso.

A paz interior sempre esteve dentro de você.

LIÇÃO 75

OS SINTOMAS DE QUE VOCÊ NÃO ESTÁ EM VOCÊ

"Só há um tempo em que é fundamental despertar, e esse tempo é agora."

Buda

Meu trabalho exige que eu faça palestras, entreviste pessoas, esteja sempre em movimento, e para que isso seja possível, preciso sempre estar em mim. Centrada e alinhada com coração, mente e espírito. Por que isso é tão necessário? Porque se estou fora de mim, torno-me uma pessoa reativa.

Pode perceber: muitos profissionais, ao invés de pautarem suas vidas em seus sonhos, dando direção a eles, se deixam influenciar pelo que vem de fora e nunca estão conscientes disso. É como uma folha balançando com o vento. Quando estão num evento e são provocados a reagirem com alguma ação, reagem, mas quando não estão, ficam depressivos.

Por que eles não conseguem manter um estado de quietude, paz interior e felicidade, quando as coisas lá fora não estão bem?

A verdade é que a maioria das pessoas não está em si mesma. Elas estão reagindo ao mundo. Ao invés de estarem seguras consigo mesmas, há um ruído de fundo pautando o comportamento delas.

Estar dentro de si mesmo, ouvindo o coração e dominando a mente, é fundamental para estar em todos os lugares em estado de presença, sem se deixar contaminar com os ambientes e as pessoas. Se você fica agitado quando está num lugar, ou na presença de alguém, é porque você não está centrado o suficiente. Se a vida lá fora te deixa constantemente nervoso, é porque você está fora de si. Se você está bem só quando tudo está bem, é porque ainda não está dentro de si.

Justamente porque trabalho com muitas pessoas, precisei fortalecer minha habilidade interna de separar o que é meu do que é do outro. Caso contrário, a cada entrevista, a cada lugar onde eu estivesse, eu iria me transformar — já que, se a inquietude do outro puder me afetar, eu não viverei em paz.

Não vivemos no alto das montanhas. Vivemos em sociedade e nem sempre podemos nos isolar do mundo. Por isso, precisamos cada vez mais observar se estamos dentro de nós, pois isso nos permite escutar o coração com mais clareza. Entendemos que sensações, sentimentos e perturbações não fazem parte da gente.

Quando isso acontece, é como uma mágica: nossa presença ilumina os lugares e somos condutores de paz, autenticidade e verdade para as pessoas.

Os sintomas de que não estamos em nós são nítidos. Observe-se.

LIÇÃO 76

SEJA LÍDER DE SI MESMO

"Tente mover o mundo.
O primeiro passo será
mover a si mesmo."

Platão

Hoje vemos muitas pessoas querendo mudar o mundo. Elas estão nas redes sociais, gritando a plenos pulmões que serão porta-vozes da mudança, mas a maior parte delas não está liderando sequer a si mesmas. Elas estão querendo liderar os outros, mas não conseguem aquietar a própria mente, não são capazes de ouvir o coração e sequer sabem para onde estão indo. No entanto, querem conduzir outros para o mesmo caminho: o precipício.

Ao observarmos os passos que estamos dando, precisamos ter autorresponsabilidade. Não dá para conduzir pessoas se não sabemos nem para onde estamos indo. Se não sabemos sequer liderar a nós mesmos.

Ser um líder de si mesmo é estar com as motivações certas, que são resultado de uma interiorização, de uma autorreflexão, de um ouvido treinado para escutar a inteligência do coração. Liderar a si mesmo é não se deixar abater pelo que vem de fora; é dirigir a própria vida e, dessa forma, conseguir observar tudo e todos com o olhar neutro, sem os filtros que colocamos — seja para melhorar as coisas ou para piorá-las.

As coisas são como são.

Dessa forma, começamos a desenvolver compaixão pelas pessoas. Passamos a entender que cada um passa por uma tempestade interna e que precisamos ser calmos para aceitar que todos passam por suas crises e buscam o autocontrole, mas nem sempre conseguem.

Eu já saí do prumo, claro. Já fui a pessoa que se deixava estressar, que mudava de opinião e humor a cada minuto. Já fui a pessoa que não liderava a mim mesma. Mas, a partir do momento que entendi que poderia ter um senso de observação maior, entendi que não queria mais ser uma sonâmbula. Entendi que era preciso estar alerta, que era primordial fazer uma autoanálise para não circular por passado e futuro ao invés de focar no meu eu interior.

Voltar para casa, para o coração, para o seu silêncio, é estar presente em todas as suas ações sem permitir que a mente fique vagando pelo mundo. Você deixa de ser adormecido e se torna mais alerta. Mais vivo.

Não é saudável chegar exausto ao fim do dia. Não é algo sábio a se fazer buscar apenas recompensas materiais e profissionais, sem olhar para a nossa riqueza interna, a que conquistamos quando estamos conscientes.

Seja consciente. Olhe para dentro, governe a si mesmo. Suas emoções, seus pensamentos, sentimentos e ações. Dessa forma, você terá o mundo aos seus pés. O seu mundo. E nada mais será uma dificuldade para você, porque você terá aprendido a lição mais difícil de todas.

LIÇÃO 77

VIVA EM ABUNDÂNCIA

"Deus sussurra a nós na saúde e prosperidade, mas, sendo maus ouvintes, deixamos de ouvir a voz de Deus. Então, Ele gira o botão do amplificador por meio do sofrimento. Aí então ouvimos o ribombar de Sua voz."

C. S. Lewis

Muitas pessoas acreditam que quando nos conectamos com nossa essência, espiritualidade e voz interior, nos tornamos monges desapegados de coisas materiais. E esse engano causa culpa, porque muitas pessoas acreditam que devem renunciar à prosperidade e abundância em suas vidas.

A verdade é que a prosperidade e a abundância são nosso estado natural. Devemos nos alinhar a essa energia porque nascemos de um estado de perfeição e abundância, e viver em abundância é algo que é nosso direito.

A provocação que eu quero fazer aqui é que você perceba se não está se sabotando em crescer, por ter sido educado com a falsa crença de que ser espiritual é não ter dinheiro.

O dinheiro é a materialização da prosperidade. É uma resposta do Universo às suas ações concretas. Quando você está integrado ao seu propósito, é ainda mais genuíno ganhar dinheiro com ele.

Seja qual for o trabalho que você desempenha, ele é maior se você está no caminho espiritual. Ele tem uma qualidade diferente e cria condições mais propícias para que todos possam viver em abundância.

O homem é material e espiritual. E vivemos na Terra. Viver em abundância é viver de acordo com seu propósito e alinhado a ele, trazer abundância às pessoas ao seu redor.

Empreendedores alinhados com seu propósito de vida geralmente empregam pessoas, distribuem sua prosperidade e criam ao redor de si uma espécie de aura magnética que propicia a abertura de caminhos materiais e espirituais para todos.

Viver em abundância é estar de bem consigo mesmo, num estado de proporcionar o melhor a todos e criar alegria e vida. Criar novos caminhos, novas possibilidades, e seja qual for sua profissão ou meio de vida, a vida em abundância é uma escolha. Se estamos alinhados com isso, criamos um caminho de confiança natural e um estado que propicia que os acontecimentos possam fluir, sem dificuldades ou transtornos.

"Tudo vem fácil para mim." Se você tem dificuldade em acreditar nisso, repita esse mantra até que ele se incorpore nos seus pensamentos. Até que você efetivamente aceite que tudo pode vir até você sem esforço.

Quando você menos perceber, estará tão alinhado com esse fluxo de abundância do Universo que as coisas serão atraídas naturalmente para a sua vida.

LIÇÃO 78

TRANSFORME O ORDINÁRIO EM EXTRAORDINÁRIO

"Todo mundo deveria ser aplaudido de pé, pelo menos uma vez na vida, porque todos nós vencemos o mundo."

August Pullman

Sou uma eterna apaixonada pela vida. Gosto de coisas simples, mas estou sempre focada em proporcionar momentos incríveis em dias comuns.

Um café da manhã pode ser um ponto de encontro com minha família. Um almoço, um jantar, um café da tarde. Coisas simples podem se tornar momentos mágicos quando estamos presentes e dispostos a dar o nosso melhor, nossa qualidade, nosso tempo, nosso olhar.

Vivo seguindo a premissa de que coisas ordinárias podem se tornar extraordinárias quando queremos colocar nossa energia nelas de forma focada. Podemos transformar nossa vida numa obra de arte quando estamos alinhados com a magia da vida. Quando percebemos que todos somos mágicos, que somos pessoas nascidas num mundo tão caótico e tão perfeito ao mesmo tempo, e que somos capazes de fazer tudo que quisermos.

Nossa existência é muito breve. Somos apenas viajantes pelo tempo e espaço. E no meio do caminho sofremos com o que não conseguimos conquistar ao invés de celebrarmos tudo o que adquirimos desde o nosso nascimento. Nascemos com tantas capacidades, habilidades. Somos humanos. Isso faz de nós pessoas extraordinárias.

Desde o nascimento da minha filha eu percebo que o amor e o prazer são coisas absolutamente distintas. Prazer é química, mas amor é algo de dentro, algo que sai de um coração pleno que se espalha pelo mundo. Amor é extraordinário. Não podemos perder nossa capacidade de amar, e é o amor que transforma o dia a dia em extraordinário. Olhar para seu filho, abraçar, estar de bem com a vida, tomar Sol. Contentar-se com coisas simples. Estar bem consigo mesmo e com sua própria pele.

Não é sobre ego, sobre entusiasmo, sobre vitórias. É sobre presença. Sobre deixar a vida ser o que ela é. Observando-a como crianças. Vivendo a cada dia de uma vez.

LIÇÃO 79

SOLTE SUAS CORRENTES

"Suas experiências internas podem afetar a matriz divina."

Gregg Braden

As tradições antigas dos textos dizem que nossas experiências não são positivas nem negativas, mas damos importância e julgamos através de percepções e crenças. Gregg Braden diz que a cura vem de permitirmos sentir o que o Universo nos dá para sentir.

Permitir que o sentimento se desdobre sem julgamento, qualquer que seja ele, é a nossa cura. Se chamamos de negativo, isso significa que algo cruzou nosso caminho. E aquilo se torna um problema se for reprimido ou não resolvido.

Mas enterramos e mascaramos mágoas, raivas e tristezas sem olhar para elas. E elas ficam ali, nos prendendo feito correntes que nos aprisionam. Quando temos a sensação de que os sentimentos vieram e não julgamos, podemos verificar com nós mesmos o que aquilo significa e o que diz sobre nossas crenças pessoais. É assim que me torno amiga dos meus sentimentos negativos e não os deixo me ferir.

Quando estive com Gregg Braden em uma de suas imersões nos Estados Unidos, o ouvi dizendo que estamos em três mundos ao mesmo tempo: o mundo do pensamento, o mundo do sentimento e o mundo da emoção. Quando esses três mundos se tornam um, somos potentes.

Se julgamos apenas com o ego, é porque não estamos em nosso coração, pois coração não tem julgamento — e nenhum ego. Se vem da nossa criança interior, família e percepções, isso não vem do coração.

No sânscrito existe uma palavra que significa o corpo de energia do ser humano. Essa palavra é "prana". Quando falamos sobre a linguagem do coração, precisamos falar sobre o prana.

Encontrar o caminho para enxergar o que acontece em torno de nós através do olho único do coração nos dá o poder de criar e transcender, passando pelo julgamento que encontramos. Se algo cruza nosso caminho e aquilo nos causa dor, nos afastamos. Mas podemos abraçar as experiências. Abençoá-las. Abençoar o que te machuca e causa dor. É assim que reconhecemos aquilo e deixamos ir. É assim que soltamos as correntes que nos prendem. A expressão verbal, ou seja, dizer em voz alta que abençoamos os outros, é o que nos alivia a carga das mágoas. E isso também nos liberta.

Madre Teresa andava por Calcutá e buscava a beleza. Buscava algo em que pudesse se concentrar e dar forças para abençoar e ver mais beleza na vida. Se, seguindo o exemplo dela, nos sentirmos machucados e dissermos para nós mesmos "Estou machucado, mas eu abençoo essa informação", deixaremos a mágoa passar e veremos ainda mais beleza na nossa frente. Não focaremos na dor que fica ali escondida nos incomodando.

Soltar a corrente é abençoar seus sentimentos e pensamentos. Deixar que venham e que possam ir embora sem reprimi-los. Reconhecê-los. E aceitá-los.

Dessa forma, potencializamos a nossa força — e conseguimos alinhar mente e coração. E ficamos livres daqueles sentimentos que não reconhecemos, mas que ficam presos dentro de nós.

LIÇÃO 80

TENHA COMPAIXÃO

"A matriz é a origem das estrelas, do DNA e de tudo o que existe."

Max Planck

Compaixão é a força que mantém tudo junto. É algo poderoso que nos lembra que temos um poder e não precisamos aprender. Isso nos alinha com a matriz do próprio Universo. É o que nos une.

Max Planck diz que esse poder nos alinha com o campo de energia do próprio Universo. Foi ele quem criou a ideia de "matriz divina", reconhecendo que somos uma rede de energia que contém partículas do Universo juntas. E reconhece que a experiência de compaixão não é sentir pena de alguém, mas viver a vida acordado e consciente, sabendo que somos parte de tudo e o que passamos afeta a nós e a algo que está do outro lado do Universo.

Há uma rede de energia no Universo. E o que completa o Universo? As ondas de fé, de energia eletromagnética que nos alinham com esse campo, e nos alinhamos a ele através da compaixão.

A compaixão pode nos relacionar com o mundo. Ela gera uma energia que nos alinha com o Universo. Que cria uma onda quântica de relação com o Universo. Com esse sentimento, conseguimos acessar uma compreensão das nossas próprias vidas e podemos acessar respostas do Universo, da energia da matriz divina.

Ao criarmos emoções e sentimentos potentes, nos fundimos ao Universo. Criamos um campo quântico ao nosso redor, capaz de fazer com que essa troca exista — e, com essa troca, nos tornamos criadores e materializadores de sonhos, porque acessamos a energia com a frequência exata.

Tudo é sintonia, e praticar bons sentimentos que estejam sintonizados com a energia mais pura do Universo nos eleva e permite acessar a fonte de tudo, que é inesgotável e pode nos mostrar como somos capazes de manifestar tudo aquilo que queremos — em todos os âmbitos das nossas vidas.

LIÇÃO 81

FAÇA ESCOLHAS COM AMOR

"Faça o que ama e faça com amor."

Rumi

Em 2020, tomei uma das decisões mais importantes da minha vida, e ela foi feita com todo o meu coração. Tudo por causa de uma pandemia que nos fez ficar em casa. Foi assim que eu percebi como ali era meu lugar naquele momento.

Minha filha estava com dois anos, e eu passei a entender que o tempo passava rápido demais e quantos compromissos que eu considerava inadiáveis estavam me deixando cada vez mais longe dela. E do meu coração.

As entrevistas para o canal passaram a se tornar quase irrelevantes diante daquela presença sublime na minha vida, e eu decidi que iria desacelerar do trabalho. Com isso, precisei dizer não para vários projetos que me trariam uma contribuição financeira significativa, mas que não preencheriam minha alma da mesma forma.

Nesse ano, diminuí o ritmo de trabalho para me conectar ao que tenho de mais importante, e confesso que foi a decisão mais sábia que eu poderia ter tomado na minha vida. Eu repensei minha vida profissional e redirecionei minha energia para projetos que estavam mais conectados com a minha alma.

Às vezes, tudo o que a gente precisa é de uma pausa. Uma pausa estratégica que nos deixe conectados com o que de fato faz sentido. Essa pausa nos faz rever aquilo que estamos fazendo há tanto tempo no automático, sem parar para respirar, para sentir se é o que realmente queremos.

Quantos de nós nos enchemos de compromissos para ter a agenda cheia e, no final do dia, nos sentimos cada vez mais vazios?

A verdade é que a cada dia temos a oportunidade de buscar o que há de mais valioso na nossa existência, e agir com a potência do coração é justamente olhar para isso: para as escolhas a serem feitas com o amor, com a força do coração, que mostra sempre o melhor caminho a seguir.

Às vezes, é duro desapegar do ego. Às vezes, é difícil perceber que o que ele quer é nos manter em destaque. Mas, quer saber? Se você começar a sentir a vibração e o calor do amor genuíno, aquele que é de verdade, ao invés de ficar se alimentando de *likes* e amigos de Instagram, talvez você entenda que na vida temos aquilo que escolhemos ter.

Nem mais, nem menos.

@patriciameirelles

LIÇÃO 82

CORAÇÃO MAGNÉTICO

"O coração é também o primeiro órgão formado no útero. O resto vem depois."

Joseph Pearce

O autor de *A biologia da transcendência*, Joseph Pearce, diz que o coração é o maior aparato biológico e sede de nossa maior inteligência. Além disso, ele tem um grande campo eletromagnético e cada célula contida nele pulsa com todas as outras do corpo.

Os estudos já mostram que a frequência eletromagnética do coração produz espécies de arcos para fora que formam nosso campo, e são essas informações que ficam no nosso campo que podem ser lidas, ou seja, o Universo é atraído para os campos semelhantes.

Logo, se você está vibrando numa onda de tristeza, naturalmente vai estar sintonizado com pessoas na mesma faixa. Se estiver sintonizado com alegria, a mesma coisa acontecerá. E se achamos que estamos numa vibe, mas nosso coração diz outra coisa, ele atrai exatamente o que está emitindo.

Por isso a importância de ouvir a si mesmo com atenção. E quanto mais nos ouvimos, mais nos conectamos com pessoas que estão na mesma frequência que a nossa, e essas pessoas geralmente trarão as respostas de que precisamos, porque a sincronicidade de eventos produzida pelo magnetismo do coração é das mais fortes que existe.

Você nunca sentiu que precisava de algo e aquilo ou aquela pessoa milagrosamente apareceu na sua vida? Um evento fez com que aquilo se materializasse na sua frente?

Um coração magnético está sempre conectado com o seu próprio caminho e entende as variáveis do Universo, mas sabe que cada ser humano na Terra tem sua batida, seu tom. Se estivermos conectados intelectualmente com tudo o que acontece, ficamos vulneráveis e acreditamos que aquilo pode nos perturbar. E enfraquecemos.

Mas, quando contamos com nosso pleno potencial de certeza interna, nosso coração se fortalece. E ouvimos a sabedoria universal.

Se você quer paz e
equilíbrio no mundo,
comece dentro de você.
Ouça a si mesmo
e sinta a resposta
que precisa ressoar.

LIÇÃO 83

A CABEÇA NÃO SABE NADA

"O mais valioso ocorre quando os pensamentos possuem um coração."

Rudolf Steiner

É impressionante como as mais diversas linhas de pensamento acabam se unindo quando um assunto é unânime. Desde que passei a estudar sobre a frequência e inteligência do coração, li avidamente dezenas de livros que só me provaram o que eu já intuía: pensar com a cabeça já era! Literalmente.

Rudolf Steiner, o pai da Antroposofia, que é a ciência que fala sobre o ser humano constituído em corpo físico, mental e espiritual, diz que os pensamentos não deveriam ser fracos a ponto de permanecerem na cabeça.

O que isso quer nos dizer?

Que eles precisam ser fortes, para fluir por todo o corpo e fazerem nosso sangue pulsar. Sendo assim, é valioso quando o ser humano usa de fato o seu coração. E pensa com o coração.

Converse com uma criança e perceba o óbvio: as respostas mais simples surgem de maneira intuitiva, criativa e delicada.

Meus sobrinhos, que são a mágica da minha vida antes da minha filha nascer, sempre me alimentam durante nossas conversas — e conforme eles vão crescendo posso perceber como é dinâmico o fato de que eles sabem respostas que a gente esqueceu. São insights, teorias, perguntas, espontaneidade e autenticidade que não temos na idade adulta.

Muitas vezes me surpreendo quando eles trazem uma ideia nova ou algo que pode me conduzir a um novo caminho. Embora não devesse me surpreender com aquilo que deveria ser natural em todos nós, percebo que são eles os detentores das verdades universais. Eles estão conectados com o mundo de verdade — e não com as ideias e crenças que vamos colocando na cabeça sobre o que é o mundo.

Por isso, se quer viver uma vida autêntica, sem medo e com coragem, invista na sua criança interior. Deixe que ela te traga as respostas mais profundas e viva-as, deixando seu coração todinho ali depositado.

Não tenha medo.
Se neste momento sua
vida está te pedindo
uma decisão, silencie.
A resposta sempre
está aí, no silêncio.
Aquiete a mente e deixe
seu coração falar com você.

@patriciameirelles

LIÇÃO 84

QUAL É O TAMANHO DA SUA AURA?

"A aura é a manifestação sutil de tudo que somos. Nosso passado, presente e até nosso futuro."

Sadhguru

O tema "aura" pode parecer místico demais, até que você dê uma breve pesquisada no Google e perceba como hoje a sabedoria está em inserir todas as nuances humanas no nosso cardápio diário.

Mas, o que é a aura, afinal?

A aura é uma certa manifestação de você mesmo. Uma manifestação mais sutil que o corpo físico. E é bom mantê-la limpa, porque se mantemos nosso corpo limpo, deveríamos manter nossa aura limpa também.

Para limpar a aura é preciso purificar seu corpo e sua mente, e existem muitos métodos e práticas para isso.

A aura é uma manifestação. Não é uma presença. E devemos limpar nossa aura se quisermos manifestar algo em nossas vidas. Como? Com bons hábitos, boa sintonia, bons alimentos, respirando, tendo boas conexões, orando.

Você cria o que quer no mundo quando realmente quer. E deveria ser nosso foco fazer as coisas acontecerem.

A vida é um grande milagre, e sempre me pergunto se estou pronta para fazer os milagres acontecerem. Se estou aberta a eles ou estou bloqueando o acesso, com a mente chateando e enchendo a vida de pensamentos aleatórios.

Se queremos limpar e expandir nossa aura, precisamos estar conscientes de que precisamos higienizar também todos os nossos pensamentos. Até os mais simples.

Investimos muita emoção em pensamentos ruins que nublam nosso corpo todo, e quando eles acontecem achamos que é culpa do destino. Mas é a manifestação daquilo que tanto pensamos.

Se eu gero um pensamento maravilhoso e invisto emoção nele, a mágica acontece. Por experiência própria eu digo isso.

Investir emoção em pensamento é estar consciente de que queremos e podemos tornar nossa vida diferente, tornando nossa aura mais limpa — porque não existe aura limpa com pensamentos tóxicos e sentimentos ruins. Quando digo sentimentos ruins, trago aqui a inveja, a frustração, o medo, o rancor. Tudo aquilo que trava nossa vida o tempo todo.

Quer fazer parte da criação
e criar a sua própria vida?

É hora de limpar a aura e ser feliz.

Abra os seus caminhos.
Tudo só depende de você.

LIÇÃO 85

O PODER DE CONEXÃO DA ORAÇÃO

"A oração pode evitar que pessoas fiquem doentes — e ajudá-las a melhorar mais rápido."

Dr. Harold Koenig

Você já deve ter tido alguma pessoa na família — ou senão você próprio — que tem um relato sobre o poder da oração. Uma reza de vó, de tia, de mãe quando um filho está doente. É implacável.

São aquelas pessoas que são donas de uma fé inabalável, que sempre conseguem chegar aonde determinam porque entregam ao Criador tudo aquilo e não ficam tentando mudar o destino com artimanhas. Fazem o que podem e emanam sentimentos positivos com a oração com a qual se conectam ao Criador.

A oração é eficaz para tudo, e alguns estudos já comprovaram que pessoas que têm o hábito de orar estão com uma espécie de DNA voltado para a cura. É como se a fé as fizesse efetivamente crer que a cura seja possível, e aquilo se materializa, ou melhor, se manifesta no plano físico.

Com tantas evidências, eu me pego lembrando de como minha mãe desafiou os próprios médicos muitas vezes quando soube das limitações de meu irmão ao nascer. Ela tinha um pensamento positivo muito forte, e esse pensamento era quase uma oração, porque ela acreditava e pedia que tudo fosse conduzido.

Hoje, quando minha filha tem febre, eu oro e acredito que tudo tem seu propósito. Eu sinto que pedir, sentir e acreditar faz um efeito imediato na recuperação da Maria Alice. E não é porque eu tenho mais fé do que outras pessoas. É porque quando pedimos com o coração, com a força do acreditar, com vontade de fazer aquilo acontecer, tudo é possível.

Não menospreze aquilo que Jesus já dizia. Nós temos o poder de cura. Temos como fazer milagres e podemos criar tudo o que quisermos com o poder da fé. As palavras curam, a fé dirigida com pedidos especiais pode trazer os milagres para a nossa vida.

Acreditar com força e sentimento é mais poderoso do que você imagina.

LIÇÃO 86

OS SINAIS SEMPRE TE LEVAM ONDE VOCÊ PRECISA CHEGAR

"No Universo tudo procede por vias indiretas. Não existem linhas retas."

Ralph Waldo Emerson

Eu sempre advoguei pelos sinais. Minha vida foi uma odisseia deles e já contei alguns em meu primeiro livro, por isso não quero ser repetitiva. No entanto, vou te dizer uma coisa: eles só chegam quando você está aberto. E quando digo estar aberto não quero dizer que você precisa ficar obsessivamente olhando para tudo ao seu redor, esperando uma placa cair na sua cabeça.

Tudo o que precisamos é, de certa forma, aprender a interpretar o que chega.

O livro *A profecia celestina*, de James Redfield, traz uma panorâmica bem legal do que eu quero dizer. Ele conta que evoluiremos como Humanidade quando estivermos prontos para nos sintonizarmos uns com os outros através da energia da troca. Em outras palavras, as respostas simplesmente chegam para nós se não bloquearmos o fluxo. Se não ficarmos emperrados, impedindo que elas cheguem. Isso é o que fazemos na maior parte das vezes. Pedimos uma coisa, mas ficamos parados brigando com a vida, ao invés de nos colocarmos no caminho que a vida nos leva.

Sinais são os presentes que o Universo — ou Deus — nos revela para que encontremos as respostas que estamos buscando. Na vida sempre haverá sinais, no entanto, muitas vezes estamos tão fechados dentro de nosso campo mental que não conseguimos senti-los em nosso caminho, nem os perceber.

Existe uma infinidade de provas que nos mostram como as respostas aparecem quando confiamos na existência e paramos de pré-ocupar nossa mente com as coisas. É o que meu marido sempre diz: "Deixe o caminho se mostrar." Ficar tentando encontrar respostas nem sempre é a melhor alternativa.

Se você estiver com qualquer espécie de conflito hoje, saiba que muitas vezes é porque você está brigando consigo mesmo, e essa briga pode te deixar com o coração apertado, porque você vai seguindo a razão e mente para si mesmo. Pare de seguir o senso comum, a razão; pare de brigar consigo mesmo e entenda que podemos ter uma vida mais leve, mais sintonizada com o que queremos de verdade.

Seja sempre um portal para que as coisas cheguem até você.

Se estiver aberto aos sinais, eles te trarão clareza dos caminhos que deve seguir. Não esqueça a sua essência e embarque nisso.

LIÇÃO 87

A DANÇA E A RECONEXÃO

"A dança é a linguagem escondida da alma."

Martha Graham

Há pouco tempo comecei a fazer aulas de dança. Esse exercício me traz mais energia, equilíbrio, concentração, prazer e, sobretudo, me ajuda a me reconectar com meu corpo e minha alma.

Exercícios que mexem com o corpo, em geral, nos deixam mais presentes, mas a dança tem uma magia da qual eu preciso falar: não é só o fato de me sentir bem depois de uma aula. É perceber que muitas partes de mim precisavam ser reconectadas, transformadas e, através da dança, eu literalmente saio de um padrão.

Dançar é mais do que mexer músculos e fazer movimentos. É se deixar levar pela sua capacidade corporal de manifestar arte. É curativo e rejuvenescedor. Mas não quero aqui falar apenas de como ela me dá prazer ou mexe com o meu corpo. A inteligência do coração está intimamente ligada à história da dança simplesmente porque quando eu procurava soluções com a mente para problemas do dia a dia, eu não encontrava. E, muitas vezes, depois de uma aula de dança, onde espaireço e saio da rotina, criando novos espaços internos, aquilo me traz uma nova sintonia.

De repente, uma ideia nova surge. Uma nova forma de enxergar um problema antigo. Uma maneira criativa de ver e viver a vida.

Movimento é a base de tudo. Não nascemos para ficar parados, e quando movimentamos a energia do corpo, também movimentamos a vida fora dele.

Sempre que estiver precisando de lições novas e um chacoalhão em sua vida, desperte para uma dança que te faça se reconectar consigo mesmo e perceba um novo jeito de dançar a vida: com mais leveza e arte.

LIÇÃO 88

MANTRAS PARA OS DIAS RUINS

"A lei da mente é implacável. O que você pensa, você cria. O que você sente, você atrai. O que você acredita, torna-se realidade."

Buda

Quando eu era mais jovem, estudava todas as religiões e lia muito enquanto ficava trancada no meu quarto. Eu era a menina esquisita e gordinha que não se conectava muito com as pessoas, mas em compensação aprendia muito dentro dos livros.

Trouxe para a idade adulta os benefícios do aprendizado daquele período. Um deles eram os mantras.

Mantras podem ser grandes aliados em dias ruins. Naqueles que você não consegue tirar algum pensamento perturbador da cabeça ou sentir algo desafiador.

Eles podem ser cantados ou repetidos em silêncio, mentalmente, e um bem facinho de fazer é o mantra *om*. O *om* é uma sílaba sagrada que precisa ser cantada e é considerada como o "som primordial", isso porque antes da criação da matéria havia esse som. Entoá-lo nos liberta da prisão da mente.

A vibração do mantra *om* é equivalente a uma frequência de cerca de 432 Hz — a frequência encontrada em qualquer coisa na natureza. Quando entoamos esse mantra, nos sentimos conectados com tudo o que há no Universo.

Ele também acalma o sistema nervoso, e isso faz com que o corpo fique mais pacificado, sem aquela corrente de estresse inundando nossas células. Se estiver com a energia debilitada ou se sentindo estranho, tente fazer uma meditação com esse mantra algumas vezes. Garanto que você vai sentir a diferença.

Fiz este livro com o intuito de criar possibilidades de cura internas, cura que você encontra para si mesmo. E entoar mantras já é um remédio em si, porque você não precisará de farmácia para encontrar a pílula de bem-estar.

Tente dar a si mesmo a oportunidade de mudar os padrões e faça coisas que nunca tentou. A princípio você pode desacreditar, mas, conforme o tempo for passando, vai reconhecer em si mesmo alguém diferente — mais forte e capaz de criar sua própria vida.

Para os dias bons, sorrisos. E mantras.

Para os dias ruins, lágrimas. E mantras.

Para os dias que quer ficar melhor: mantras. E mantras.

@patriciameirelles

LIÇÃO 89

REÚNA PESSOAS E AMIGOS

"A amizade é uma alma habitando dois corpos, um coração que habita duas almas."

Aristóteles

Eu sempre gostei de reunir pessoas. E há pouco tempo, enquanto escrevia este livro, no meio da pandemia — que me forçou a me reinventar — decidi que mudaria de casa. Meu sonho sempre foi o de reunir amigos num lugar gostoso, e na casa que encontramos fizemos um projeto de justamente acolher pessoas.

Coincidentemente, na época da pandemia, nos isolamos. Por isso, mais do que nunca senti falta dessas reuniões e passei a valorizar ainda mais os momentos que tinha com minha família. Nós sempre fomos muito carinhosos uns com os outros; eu e meus irmãos adoramos nos reunir com cuidado e carinho, e comecei a procurar entender por que aquele afeto fazia bem para as pessoas.

A verdade é que somos animais sociais e precisamos nos relacionar com outras pessoas. É difícil ser feliz sem se relacionar com alguém. E as amizades que vamos cultivando nos tornam mais capazes de enfrentar nossas dificuldades. Eu tenho amigos que fiz no trabalho e que me ajudam a superar desafios diários. Pessoas com as quais me conecto e sinto a necessidade de ter perto.

A falta de relação pessoal para o ser humano é brutal: equivale a fumar quinze cigarros por dia ou tomar seis doses de bebidas alcoólicas. Por isso é que tanta gente vive em depressão e nem sabe. Não somos uma ilha. Ninguém vive sozinho.

Não estou dizendo aqui que devemos aglomerar em tempos de pandemia. Estou dizendo, porém, que você pode criar ambientes e condições favoráveis para estar com quem você ama e fazer disso sua fonte de prazer e alimentação.

O amor que emana das relações de afeto transcende o corpo físico e nos faz maiores. Alarga a nossa aura. Cria um campo de força magnético e cheio de luz.

Vida mais abundante, sorriso no rosto, amor no coração. É a riqueza de hoje.

Dinheiro na conta? Se você só vai atrás disso, está vivendo uma vida pobre demais em valores.

LIÇÃO 90

DEIXE SUA BAGAGEM LEVE

"A ferida é o lugar por
onde a luz entra em você."

Rumi

Certa vez li uma mensagem que era mais ou menos assim: um conferencista falava sobre gerenciamento de tensão. Ele levantou um copo com água e perguntou à plateia: "Quanto vocês acham que pesa este copo d'água?"

As respostas variaram entre 20 g e 500 g. O conferencista, então, comentou: "Não importa o peso absoluto. Depende de quanto tempo vou segurá-lo. Se eu segurar este copo por um minuto, tudo bem. Se eu segurá-lo durante uma hora, terei dor no braço. Se o segurar durante um dia inteiro, você terá que chamar uma ambulância para mim. O peso é exatamente o mesmo, mas quanto mais tempo passo segurando-o, mais pesado ele ficará."

Se carregamos nossos pesos o tempo todo, mais cedo ou mais tarde não seremos mais capazes de continuar, pois a carga vai se tornando cada vez mais pesada. É preciso largar o copo e descansar um pouco antes de segurá-lo novamente.

De tempos em tempos eu observo a bagagem que tenho levado. O excesso de bagagem que me atrapalha de viver a vida leve. Às vezes, são pequenas coisas que vamos incorporando em nossas vidas. Precisamos deixar a carga de lado periodicamente. Isso alivia e nos torna capazes de continuar.

LIÇÃO 91

TENHA UM ANIMAL DE ESTIMAÇÃO

"Dê o seu coração a ele, e ele lhe dará o dele."

Do livro *Marley e eu*

Todo mundo se emociona com filmes sobre animais de estimação. E quem tem animais de estimação sabe que o amor entre eles e seus donos é capaz de promover verdadeiros milagres.

Estudando sobre esses efeitos, descobri a zooterapia, uma linha terapêutica que usa animais para ajudar no convívio e recuperação das pessoas. É uma terapia que a psiquiatra Nise da Silveira desenvolveu, percebendo a interação de seus pacientes com animais.

Quando estamos em contato com animais, nosso sistema límbico, responsável pelas emoções mais instintivas, libera endorfinas e gera a sensação de tranquilidade.

Em 2020, durante o isolamento social, houve uma grande procura por animais de estimação, pois percebeu-se que eles eram seres que nos traziam bem-estar, companhia, afeto e a sensação de que não estávamos sozinhos.

Estar integrado com a Natureza faz a gente se sentir melhor, e animais ainda respondem com carinho, atenção. Através da doação de amor espontânea que eles nos oferecem, criamos laços que nos fazem ter sensações de prazer.

Um animal de estimação é sempre um companheiro que está ali entendendo o que você não diz, lendo o seu campo energético na dor e nos momentos de alegria, protegendo você até mesmo das energias nocivas que poderiam te deixar energeticamente vulnerável. Estar rodeado de animais de estimação é benéfico para a saúde em todos os níveis. Se não puder ter um em casa, procure um tratamento com zooterapia, andando a cavalo, acariciando animais numa fazenda ou num local ao ar livre.

**É desse remédio que o mundo precisa:
vida, troca de energia e amor despretensioso.**

LIÇÃO 92

ENUMERE SUAS BENÇÃOS

"É melhor perder a conta enquanto você enumera as suas bençãos do que perder suas bençãos enquanto enumera seus problemas."

Maltbie Babcock

Há alguns anos fiz um Caderno da Gratidão onde agradecia todos os dias por tudo de bom que acontecia na minha vida.

Enumerar benção é mais do que agradecer. É ter a consciência de que não chegamos a lugar nenhum sem a proteção divina, sem aquela mão invisível que nos guia quando não sabemos que caminho percorrer.

Se você parar agora para enumerar as bençãos, vai entender como em muitos momentos da sua vida teve a quem ou a que recorrer, e perceberá que uma ajuda divina lhe foi estendida.

Não é apenas sobre ser grato. É sobre ter a certeza de que mais coisas nos ajudaram do que travaram nosso caminho para que chegássemos onde estamos. E quando paramos para perceber, até mesmo os desvios de rota — aqueles caminhos ruins que trilhamos — foram responsáveis por nos levar a algum lugar.

Às vezes, as bençãos chegam disfarçadas. Passamos por um problema qualquer e depois dele entendemos que aquele momento nos serviu para mostrar um novo caminho, uma nova estrada.

É urgente que saibamos escrever num papel aquilo que temos e recebemos do Universo todos os dias. A benção de ter um teto para morar, uma comida na mesa, um trabalho. E quando não temos isso, agradecermos o que temos, para que a abundância nos cerque e a vida permita nos trazer mais daquilo que já recebemos. Estar ingrato com a vida é travar o fluxo da prosperidade, das bençãos e da abundância.

Caderno da Gratidão

Ainda vendo esses Cadernos da Gratidão nas minhas redes e tenho os relatos felizes das pessoas que compraram e veem milagres acontecendo em suas vidas. A gratidão é muito poderosa. É o sentimento que te conecta com Deus.

Eu proponho que hoje você exercite a gratidão e comece, todos os dias, a fazer uma lista com dez coisas a agradecer. Faça hoje a sua lista de bençãos e amanhã elas irão se multiplicar. Eu aposto!

LIÇÃO 93

OBSERVE SUA RELAÇÃO COM SEUS DONS

"Quando as mulheres reafirmam seu relacionamento com a natureza selvagem, elas recebem o dom de dispor de uma observadora interna permanente, uma sábia, uma visionária, um oráculo, uma inspiradora, uma intuitiva, uma criadora. Não importa o que aconteça, essa mentora dá sustentação às suas vidas interior e exterior."

Clarissa Pinkola Estés

Todos nós nascemos com dons e talentos. Esses dons e talentos nos levam a lugares inimagináveis quando temos a clareza de que são eles que podem nos trazer discernimento e calma quando estamos diante de dificuldades.

Muitas vezes, os dons e talentos que nos foram dados são esquecidos e apodrecem dentro da gente porque não os alimentamos. É como água parada que apodrece. Precisa de movimento.

Se você estiver sofrendo por não estar em contato com uma vida criativa e abundante, talvez esteja aprisionando seus dons. Talvez esteja deixando-os escondidos ao invés de mostrá-los para o mundo.

Muitas vezes seguimos caminhos profissionais que não nos permitem sermos quem somos, e essa é a pior prisão a qual podemos pertencer, porque não é possível sermos inteiros, felizes e saudáveis quando deixamos aquilo que nos deixa potentes de lado. Estar consciente de quais são seus dons te faz mais sintonizado com o seu coração, com sua essência, e te traz paz de espírito, porque conforme você age de acordo com aquilo que veio para ser, sente-se mais entregue ao fluxo da vida.

É como se o mundo estivesse de portas abertas para você. Isso acontece de forma natural, e todos os medos e inseguranças ficam para trás, numa caixinha de dúvidas que o mundo traz para nós quando ouvimos demais a voz de fora e esquecemos a nossa voz interior.

Nossos dons precisam ser honrados. É através deles que canalizamos a energia divina e existimos com potencial de curar a nós mesmos e a todas as pessoas do mundo.

Parece pretensioso, mas ninguém cura ninguém. Curamos o mundo quando curamos a nós mesmos, e isso liberta a todos ao nosso redor para que sejam quem vieram ser.

LIÇÃO 94

SAIBA DOMINAR SEUS SENTIDOS

"Aquele que domina seus próprios sentidos se tornou parte harmoniosa da natureza."

Gandhi

Medo é algo que sentimos quando estamos diante de uma ameaça, mas às vezes sentimos a mesma sensação sem termos qualquer ameaça por perto. Sentimos porque nossa mente as cria e as alimentamos com tanta força que, quando vemos, estamos aprisionados.

Na vida não precisamos dar voz aos medos. E nem aos sentidos que nos fazem perder nossa consciência da realidade.

Hoje um dos maiores transtornos que abatem as pessoas são os transtornos de ansiedade. As pessoas dão vozes a medos que não existem e os alimentam com tanta força que eles parecem ser reais.

O que eu preciso te dizer é que ao mesmo tempo que precisamos de ajuda médica, precisamos aprender a dominar os sentidos.

Uma pessoa tensa, preocupada, amedrontada o tempo todo não é capaz de desfrutar da vida com alegria e espontaneidade. Ela se torna rígida, fria, seca e não pertence a nenhum lugar. Apenas se defende de tudo e todos, como se tudo fosse ameaçador.

A vida pode ser desfrutada com mais amor, paciência, alegria, conforme formos entendendo que criamos muitas coisas na mente. Coisas que não são reais. São ilusões que nos deixam separados do mundo e nos fazem acreditar que a realidade é algo a se temer.

Acalmar a mente e os sentidos é dever de cada ser humano engajado com o desenvolvimento pessoal. Precisamos recorrer ao nosso poder interior para que a nossa força potente desperte e nos traga coragem de enfrentar desafios. E então, entregamos ao mundo nossos sentimentos de alegria, gratidão e coragem, que nos levam a um caminho mais compassivo e delicado diante da vida.

LIÇÃO 95

COLOQUE ENERGIA EM TUDO QUE FIZER

"É necessário aprender a dividir com todos os seres humanos da Terra."

Edgar Morin

Eu sou perfeccionista, caprichosa e atenta com todos os detalhes do meu trabalho e com tudo o que faço. Acredito que a energia que colocamos nos detalhes é que faz toda a diferença.

Certa vez, encontrei uma pessoa que me disse que até mesmo um livro carrega a energia que estamos sentindo no momento que escrevemos. Chico Xavier escrevia livros em lugares que sabia que trariam energias e sensações boas aos leitores, porque ele mesmo sentia-se sufocado ao ler uma de suas obras que havia escrito dentro de um quarto fechado.

Impregnamos de energia tudo com o que entramos em contato, seja pelo nosso campo, seja pela nossa palavra, atitude, olhar ou troca. Por isso, temos que ter responsabilidade pela energia que aplicamos no mundo. Não podemos jogar energia suja e querer limpa de volta. Colhemos exatamente o que plantamos.

Precisamos colocar energia — e das boas — em tudo o que fazemos, porque aquilo pode florescer ou ficar contaminado, dependendo do tipo de energia empregada. É através da mente e do coração que fazemos isso. Emitindo bons sentimentos e criando boas intenções conforme vamos fazendo cada gesto.

Se uma pessoa cozinha um bolo com mau humor, aquela energia fica ali, até mesmo para quem for ingerir aquele alimento. Nos nutrimos não só de tudo o que comemos, mas também do que dizemos, assistimos e da forma como interagimos.

Permita-se ser generoso com o mundo e empregar uma energia boa em tudo o que faz. Doe sua energia, ela é multiplicada à medida que chega no receptor e cria uma egrégora de luz ao seu redor, que possibilita ainda mais situações boas.

Coloque energia em tudo. Coloque amor. E preencha sua vida cada vez mais com seu coração.

LIÇÃO 96

AJUDA-TE E A VIDA TE AJUDARÁ

"Não espere que estranhos façam
por você o que você mesmo pode fazer."

Ennius

Já vi muita gente acreditando que só a fé iria salvá-las. Pessoas que ficavam sentadas, esperando alguém fazer por elas o que nem elas mesmas faziam.

Vou te dizer uma coisa: quando nos ajudamos, a vida nos ajuda. Não tem segredo nisso. Não adianta esperar que a vida te dê algo que você não dá a si mesmo.

Você quer ser cuidado, mas não cuida de si. Quer receber amor, mas não se ama. Quer abundância, mas não é generoso consigo mesmo. A vida trará a você exatamente a mesma medida daquilo que você der para si. Nem mais, nem menos.

Muitas pessoas não se acham merecedoras de amor, não se dedicam a si mesmas, ou pior: quando têm filhos, deixam a própria vida de lado para dedicação total a eles e esquecem de si.

Quando fazemos isso, quando nos deixamos de lado, demonstramos uma falta de amor-próprio. É tão comum que isso aconteça que não percebemos a desatenção. Aos poucos, vamos ficando sem vida, sem energia, sem amigos. E culpamos e responsabilizamos quem está ao nosso redor.

Seja seu melhor amigo. Não espere dos outros que façam algo por você. Faça por si mesmo o que você gostaria que as outras pessoas fizessem. Pare de fazer pelo outro. Pense em você.

Isso é uma lei da Bíblia: ajuda-te que eu te ajudarei.

Não espere ser ajudado se nem mesmo você se ajuda. Entenda essa lei e aplique todos os dias na sua vida. O que é preciso fazer por você hoje?

LIÇÃO 97

SIGA SEU CORAÇÃO

"Viver é a coisa mais rara do mundo.
A maioria das pessoas apenas existe."

Oscar Wilde

Quantas pessoas já conheci que não tinham uma vida de propósito! Que acordavam estavam vivendo no automático e não questionavam o que deveriam estar seguindo.

A verdade é que quando não seguimos o coração, vivemos como zumbis. Não estamos conectados a nada, nem aos impulsos do Universo, nem às dádivas divinas. Estamos existindo. Comendo, dormindo, assistindo à TV e trabalhando.

Mas será que a vida é só isso?

A vida pode ser muito mais, e você não precisa ser um astro de TV para ter sucesso. Basta ser um jardineiro feliz que cuida do seu jardim, mas faz isso com todo o seu coração. Basta ser uma mãe que cumpre seu propósito. Uma professora que está firme em educar seus alunos.

Seguir seu coração é entender que sucesso de verdade é *hackear* o sistema e ser o protagonista da sua vida. Sem fazer o que te dizem ser legal. É ser a pessoa que você quer ser, mesmo que isso não traga qualquer notoriedade.

O sucesso é estar com quem você gosta, dormir com a cabeça tranquila, ser alegre e fiel aos seus valores. Não se vender por dinheiro e nem deixar as pessoas ditarem as regras da sua caminhada.

Sucesso é ser você.

Quero que você entenda de uma vez por todas que a sua vida na Terra é breve demais e que você não vai levar nada daqui. Semeie coisas boas, leve o coração em tudo e seja por inteiro onde estiver. Deixe sua marca no mundo com todo o amor e generosidade possíveis.

**Viva. E viva por inteiro
cada dia de sua vida.**

LIÇÃO 98

NEM TUDO SÃO FLORES

"Faça todo o bem que você puder. Por todos os meios que puder. De todas as maneiras que puder. Em todos os lugares que puder. Em todas as vezes que puder. Para todas as pessoas que puder. Pelo tempo que puder."

Shri Anandamurti

Na minha vida já passei grandes provações e momentos turbulentos. Nada é cor-de-rosa como parece ser. Precisei tomar decisões muito difíceis, e que muitas vezes magoaram pessoas, porque eu entendia que precisava honrar aquilo que meu coração pedia e achava certo.

Nem tudo serão flores nessa trajetória, e muitas vezes as crises e sofrimentos servirão para te despertar. Para te dar um chacoalhão e dizer "Ei, pare de seguir por esse caminho!"

Se parar para observar todos os momentos de crise em sua vida, eles te mostram que você não está seguindo o seu coração. Que você está fazendo o contrário do que sua alma diz para fazer. Nessas horas é exigida uma coragem para desviar da rota com a qual estamos acostumados. A rota que todo mundo considera certa.

O mundo segue para um lado e seu coração diz que é para ir na contramão? Que tal ouvir essa voz sem ter medo de parecer louco?

O sofrimento pode nos empurrar para um abismo, mas encontramos a saída quando entramos em contato com a nossa essência. Quando não nos identificamos com o sofrimento e percebemos que cavamos nossa própria cova. Que todas as consequências atuais são resultado de algo que plantamos em nossa vida, e devemos celebrar as boas e reconhecer as ruins.

Porque se passamos por algo, aquilo é responsabilidade nossa, de deixarmos a vida desgovernada. De deixarmos as coisas chegarem a tal ponto que perdemos o controle do mal que estávamos fazendo a nós mesmos.

Às vezes, é uma doença que vem nos despertar. Uma depressão, uma crise de ansiedade. Algo que nos coloca no momento presente e nos diz que precisamos acordar.

Por isso, não deixe que
o mundo lá fora te perturbe.
Sua paz é preciosa e você
precisa reconhecer seu poder,
mesmo diante da dor.
A vida é mestra e nos ensina,
a cada dia, como podemos ser
mais firmes na rota que
devemos seguir.
Não desvie da sua rota.
É ela quem te levará ao
seu caminho sagrado.

LIÇÃO 99

COLOQUE CONHECIMENTO EM PRÁTICA

"Conhecimento é um tesouro, mas a prática é a chave que abre suas portas."

Ibn Khaldoun

A partir de agora, comece a colocar as lições em prática. De nada adianta conhecimento na gaveta. Viver na teoria é fácil, mas as atitudes dirão se você está no caminho certo.

Quem quer ser um canal de comunicação com o Universo precisa estar atento e forte. Ou, como disse Jesus, precisa vigiar e orar, porque será usado como instrumento divino a partir de cada prática.

Cada dia nos traz a oportunidade de mudarmos nossas vidas, e a pergunta é: você está usando essa capacidade divina? Você está aberto às ações que podem impulsionar sua alma para a evolução?

Não basta incorporar discursos vazios. É preciso utilizá-los no seu dia a dia.

As escolhas farão com que você chegue aonde quer chegar. As escolhas, pequenas e grandes, farão com que você coloque o conhecimento em prática. E assim, quando menos perceber, estará trilhando seu caminho espiritual.

É importante, neste momento, entender que sua mente vai querer te tirar do caminho. Ela vai fazer de tudo para criar condições que te empurrem para outra direção. No entanto, será nessas provas da vida que você irá se fortalecer, porque fará uma escolha e será mais seletivo com o que quer e para onde quer ir. Não temos mais tempo de caminhar em direção ao abismo. Precisamos urgentemente seguir o que nosso coração aponta como certo.

Já sofri muito por fazer escolhas erradas, por fazer alianças por dinheiro. Alianças profissionais que pareciam benéficas, mas que faziam bem ao ego e não estavam conectadas ao meu coração. Hoje sinto que devo ser fiel apenas a ele. E a mim. Porque não adianta cobrar do mundo uma postura com a qual não estamos alinhados.

Escreva tudo que precisa. Rascunhe, ou digite numa tela grande no computador. Faça a lição de casa de escrever para onde quer ir. E determine através de pequenas ações diárias que te conectem a você mesmo.

**Pare de fugir das ações certas.
Pare de dar desculpas.
Pare de responsabilizar pessoas.
Pare de sair do seu caminho.
Faça as coisas acontecerem, com paixão, conectado ao seu Eu.
Seja quem você nasceu para ser.
É urgente que as pessoas encontrem a si mesmas.**

LIÇÃO 100

VIVA UMA VIDA DE MILAGRES

"Milagres não contradizem a natureza.
Apenas contradizem o que
sabemos a respeito dela."

Santo Agostinho

Ao longo da vida nos desconectamos dos milagres. Nos desconectamos do divino que há em nós. Nos desconectamos de nós.

Tudo o que eu disse neste livro diz respeito a transbordar o que há de mais precioso no seu cálice da vida. É deixar ir para o mundo e compartilhar seus dons. Fazer o que quiser. Agir da maneira correta, que está alinhada com o que seu coração tem de mais genuíno.

A partir disso, as sementes vão brotar e germinar num terreno fértil. De amor e prosperidade. Uma vida de abundância, de sentido. Uma nova perspectiva, com oportunidades que surgem fácil, como se pequenos milagres e coincidências se manifestassem porque você está aberto a eles. Porque está no fluxo da vida. Está vivendo de acordo com seu espírito, sua alma, totalmente entregue ao seu propósito. Vivendo a partir da voz interna do coração.

Então, tudo parece um milagre.

As coisas começam a acontecer, a vida passa a responder aos seus impulsos mostrando que você está no caminho certo. Parou de repetir padrões, de levar crenças que não diziam nada. Começou a viver a vida conforme seu coração estava dizendo ser o mais adequado para sua existência.

A partir de hoje, comprometa-se com seu coração. Observe o que tem feito, como tem feito e de que forma vai passar a agir para que sua vida seja uma sucessão de milagres. Você pode trazer uma nova realidade para a vida na Terra, depende de você. De ouvir sua voz e parar de repetir a dos outros. De parar de copiar para ser original e autêntico.

Seja você. Ouça sua voz interior e acredite que esse é o primeiro passo para transbordar uma vida em milagres. Eles são seu direito divino. Sua vida pode e deve ser mágica. Basta acreditar, sentir e viver seu propósito divino com força, alegria e amor, sentidos verdadeiramente no seu coração.

Limpe a sujeira da alma, dos pensamentos, e crie uma nova realidade — de essência. Não interaja com o que te faz mal. Coloque limites no que não cria uma aura benéfica para seus impulsos.

Cabe a você viver uma vida de milagres. Cabe a você criar essa vida.

É isso o que a inteligência do coração propõe.

Que você esteja alinhado a essa matriz divina, que propõe uma verdadeira revolução interior.

Seu coração sempre sabe a resposta.

Siga-o.

LIÇÃO 101

O QUE VOCÊ REALMENTE DESEJA

"Só o amor é real."

Louise Hay

Muita gente diz que é guiado pela voz da intuição, mas nem sabe direito o que quer. Eu já fui essa pessoa. Que achava que sabia o que queria, mas que me enganei, seguindo caminhos errados para, depois de bater cabeça, entender que não eram os meus caminhos.

Acredito que todos temos a oportunidade de viver o que queremos nesta vida, mas muitos mal sabem o que querem, e isso faz com que fiquemos andando em círculos, porque ao invés de ouvirmos o que nossa voz interior nos diz, buscamos fora o que as pessoas acham que devemos fazer. Atire a primeira pedra quem nunca foi buscar respostas com mães, terapeutas, amigos e irmãos para, depois, entender que eles tinham uma visão de mundo bem diferente da sua.

A verdade é que enquanto não sabemos o que queremos, ficamos inseguros e esperamos que os outros nos digam o que fazer. E não conseguimos governar nossas vidas a partir de então. É quando deixamos o comando nas mãos de quem está de fora — e isso atrapalha todo nosso percurso.

Se você também não sabe o que quer, pare de buscar opiniões de fora. Não é lá que estarão as respostas. É dentro de você. No seu coração. E se te trouxer paz, a resposta é sim. Não tem como errar.

Pergunte a si mesmo o que você realmente deseja. Do fundo da sua alma. Não para mostrar para alguém, nem para provar nada para ninguém. Mas para que você se sinta em paz consigo mesmo.

Paz de espírito é algo a se buscar.

LIÇÃO 102

A OPINIÃO CERTA

"Nunca transfira seu poder para outra pessoa."

Brian Weiss

O que nos traz a opinião certa?

Muitas vezes prestamos atenção demais nos discursos que vêm de fora e os aceitamos como verdade. Outras, damos nossa opinião sem perceber que estamos com filtros de críticas e julgamentos. Quando fazemos isso, envenenamos a Terra, como se colocássemos vírus num computador que afetasse todos os arquivos.

Os pensamentos e sentimentos de um grupo de pessoas ficam todos armazenados numa espécie de nuvem que paira no ar. Por isso em algumas cidades sentimos a atmosfera mais pesada que em outras. E por isso também que em alguns dias da semana nos sentimos melhores do que em outros.

Não é mera impressão. Tudo fica ali armazenado, fundindo-se à atmosfera da Terra, que vai ficando cada vez mais densa. Então, quando temos consciência de que todo sentimento afeta não apenas a nós, mas ao mundo que nos cerca, procuramos sempre emitir a opinião certa, a palavra e o sentimento mais puro, para aliviar a densidade ao invés de criar mais elementos nocivos a ela.

Não é à toa que aplico no meu dia a dia a meditação, os exercícios de gratidão, práticas físicas como a respiração, orações, afirmações positivas, entre outros. Isso tudo contribui para aliviar a carga negativa que possa haver dentro de mim — e para não devolver para o mundo algo contaminado.

Muita gente vive assistindo à televisão, emitindo opiniões e críticas destrutivas sobre todos os assuntos, e isso traz um sentimento que nos contamina por dentro, como se destruísse nossas células. É imprescindível que possamos olhar com muito cuidado para nós mesmos. Parar de julgar o que vem de fora — como informação — e criar a atmosfera que queremos ao nosso redor. Precisamos trazer todos os dias a emanação de energia que corresponde ao que queremos para nossa vida. Criar condições para que exista amor, paz, harmonia e compaixão em todos os nossos atos e palavras.

É hora de assumirmos o protagonismo como seres que elevam a vibração do planeta e tiram seus irmãos de uma esfera negativa de medo, desespero que ronda a alma humana, fazendo com que a saúde física e mental das pessoas fique cada vez mais debilitada.

O que você pode fazer por si mesmo hoje?

Perceba a si mesmo como condutor da energia que o Universo precisa.

LIÇÃO 103

SORRISO CURA

"É mais fácil obter o que se deseja com um sorriso do que à ponta da espada."

William Shakespeare

Um sorriso abre portas. Pode parecer pouco, mas sorrir é exatamente a ferramenta natural que seu corpo tem para dizer para o cérebro "Estou feliz."

Um sorriso induz nosso corpo a elevar nosso humor, ativa as mensagens neurais no cérebro e desencadeia neurotransmissores que aumentam o humor, como dopamina e serotonina.

O sorriso melhora nossa saúde integral e deixa nosso sistema imunológico mais forte porque ele relaxa os músculos. Só o fato de sorrir já nos faz sentir bem, porque o sorriso emite a mensagem de que estamos em paz.

"Mas, Patricia, minha vida está uma desgraça. Não consigo sorrir!", você pode estar dizendo. E eu não digo para você jogar a tristeza para debaixo do tapete. Eu acredito e já disse isso: a força do choro é implacável, porque as lágrimas limpam a "má água", mais conhecida como mágoa. Água parada apodrece e vira até doença em nosso corpo.

Então, nessa faxina, chore para limpar e depois sorria, mesmo que pareça forçado de início. O sorriso vai enviar ao cérebro a mensagem de que a vida é boa. Ele conhece os sinais do seu corpo e esse é um dos sinais de que existe alegria, apesar da tristeza.

Nosso mundo e nosso corpo têm espaço para sentir todas as emoções. Não fuja delas. Contudo, escolha com consciência as que você quer convidar para se sentar no seu sofá. Convidar o sorriso a entrar no seu corpo é como chamar aquele amigo especial para tomar uma xícara de chá. Faz você se sentir bem, mesmo num dia ruim.

Por outro lado, se você convida pessoas que estão cheias de pensamentos e sentimentos ruins para falar sobre eles, quando elas forem embora, você estará se sentindo mal, sem saber o porquê.

Portanto, veja os sentimentos que você quer colocar no seu corpo, assim como vê quais pessoas convida para estar na sua casa. Se você quer se sentir bem, fique atento às emoções que você deixa entrar. E, para convidar bons sentimentos, o melhor cartão de visitas é o sorriso.

Deixe seu sorriso abrir as portas do seu coração para que ele seja inundado com coisas boas. Um bom exercício para quem quer sempre ficar de bem com a vida é olhar durante cinco minutos para o espelho todos os dias e sorrir durante esse tempo. Sorrir para você significa sorrir para a vida, aceitar a si mesmo, abrir as portas para o novo. Quem não sorri para si mesmo não consegue sorrir para o outro.

Lembre-se disso: sorrir é um exercício sutil e poderoso, capaz de inibir os efeitos depressivos de uma pessoa.

LIÇÃO 104

CANTAR É UMA DECLARAÇÃO AO UNIVERSO

"Cantar é uma das linguagens que nossa alma fala."

Dhenen

Já dizia o ditado: "Quem canta, seus males espanta". E eu ainda não sabia do poder da voz até começar a ter aulas de canto.

A verdade é que a nossa voz tem uma vibração, e quando emitimos esse som para o Universo, entramos em harmonia com ele e equilibramos dentro para colocar para fora.

A cantoterapia é uma proposta terapêutica que pode ser útil tanto em superações emocionais quanto na busca do relaxamento. Depois de cantar, ficamos com o sistema neurológico mais eficiente e sabemos nos expressar melhor.

Não é à toa que muitas crianças que não conseguem falar sobre seus sentimentos encontram uma potência no canto. Cantar é uma poderosa ferramenta de autocura.

O que sugiro? Escolher músicas com letras que tragam algo que você quer para sua vida e deixar que elas inundem seu coração. Depois disso, solte a voz e cante, sem ninguém ouvir, para que essa mensagem saia de sua boca, com a força da palavra. O ritmo, a harmonia, a expressão, tudo isso faz com que você crie uma condição em torno de si para a realização de tudo o que sonha.

Conheço pessoas que usam músicas todos os dias pela manhã para ouvir e repetir, como um mantra. E incorporam aquela música como estratégia para mudar o estado mental. Eu sei que o simples fato de deixar a música tocar já é importante, mas se você começar a adquirir o hábito de cantar junto, a potência será muito maior.

Com o canto, você declama suas intenções com harmonia. Joga para fora e cria uma aura propiciadora de acontecimentos que estão ali, vibrando na música. Por isso, é de extrema importância selecionar com muito critério as letras das músicas que vai cantar, porque elas podem tanto te deixar energizado, em harmonia e estado positivo, como te jogar num abismo de tristeza e sofrimento.

Muita gente escolhe músicas de "sofrência" quando quer amargar uma dor, mas é importante que você sempre observe como se sente depois de cantar. Se se sentiu mal, é um indício de que aquela música não está em sintonia com você.

Escolha músicas que te tragam alegria, boas lembranças e cante, trazendo a potência e a vibração das suas ondas sonoras para o mundo.

LIÇÃO 105

TELA MENTAL CRIA SUA REALIDADE

"Deus nos concede a cada dia uma página de vida nova no livro do tempo. Aquilo que colocarmos nela, corre por nossa conta."

Chico Xavier

Se eu te dissesse que você tem uma página em branco todos os dias para criar a vida dos seus sonhos, você acreditaria?

Desde que aprendi sobre a tela mental, passei a colocar na minha vida essa prática, e posso te dizer com todas as minhas convicções: ela é um poderoso recurso para que tenhamos a vida que queremos.

Há muito tempo criei telas mentais do que queria na minha vida, e hoje tenho a vida que sonhei, graças a tais telas. Essas telas eram exatamente quadros em branco que eu preenchia com pensamentos e sentimentos de tudo que visualizava para mim.

Se você não deseja sofrimento, doenças, tristeza, decepções, prejuízos e perdas financeiras para seu melhor amigo, por que muitas vezes fica o dia todo criando uma tela mental na sua cabeça com tudo isso? Por que as pessoas são mestras em imaginar sempre o pior para elas mesmas? Dessa forma, ao invés de usarem seu poder para criar a realidade, elas criam visões sombrias. Pintam cenários de medo, do pior acontecendo, e ficam em estado de alerta, de pânico, como se a qualquer momento algo ruim fosse acontecer em suas vidas.

Criar telas mentais com coisas que você quer é um exercício. Exercite seu corpo, mente e sentimentos a focarem sempre naquilo que você procura — e não naquilo que você teme.

Para dar vida às telas mentais, nada melhor que usar os recursos artísticos. Você pode pintar, escrever ou colar numa tela em branco. Ou pode fazer recortes com situações que quer vivenciar.

Eu já fiz telas mentais do casamento perfeito, da minha família, do meu trabalho dos sonhos, das entrevistas que quis fazer. De tudo o que acontece em minha vida, o primeiro passo sempre foi realizar nas telas mentais. As telas criaram a realidade porque eu coloquei a força do amor e do sentimento positivo em cada coisa que eu queria realizar.

O ser humano tem tanta força que nem pode imaginar. Somos criadores e podemos usar nossa força para o bem. Hoje tenho a vida que sonhei graças à inteligência do coração, a várias práticas que compartilhei aqui neste livro e graças às telas mentais, que são instrumentos poderosos para cocriar a vida que queremos ter.

Use sua força potencializando
tudo aquilo que quer de bom para si.

Seja seu anjo da guarda,
seu guardião, seu mentor.
Tudo começa dentro de você.

LIÇÃO 106

MOLÉCULAS DE ÁGUA

"Se você se sentir perdido, desapontado, hesitante ou fraco, volte para si mesmo, para quem você é, aqui e agora. E quando chegar lá, você descobrirá a si mesmo, como uma flor de lótus em pleno vigor, mesmo em um lago lamacento, linda e forte."

Masaru Emoto

Há alguns anos o fotógrafo e escritor japonês Masaru Emoto fez um experimento: ele queria provar que ao emitirmos pensamentos e sentimentos para uma amostra de água, submetendo a um tipo de vibração sonora ou música, ela absorvia tal tipo de energia.

Isso foi verificado na prática: no processo de cristalização, onde as moléculas de água, ao passarem do estado líquido para o sólido, formaram estruturas tridimensionais, as amostras que receberam palavras carregadas de sentimentos bons, como "amor", eram cristalinas e simétricas. As que receberam palavras carregadas de sentimentos destrutivos ficaram deformadas e escurecidas.

A verdade é que o experimento mostrou como intenções, pensamentos e sentimentos se acumulam no plano físico e nunca prestamos atenção a isso.

Tá, e você deve estar se perguntando: o que uma molécula de água tem a ver comigo? No filme *O Segredo* existe a seguinte provocação: se o nosso corpo é composto 70% de água, estamos nos envenenando ou revigorando todos os dias com nossas emoções e pensamentos?

Certa vez, uma amiga contou que foi a um retiro onde apenas pessoas autorizadas poderiam entrar na cozinha e tocar na comida. Essas pessoas eram mulheres que faziam orações e jejuns diariamente antes de tocarem nos alimentos.

Elas faziam isso pelo simples fato de que as pessoas que iriam ingerir aqueles alimentos estariam se nutrindo das emoções que elas iriam colocar no preparo da comida. Portanto, aquelas mulheres se dedicavam a ter o maior número de pensamentos e sentimentos positivos possíveis antes de entrar na cozinha. Pessoas não autorizadas não poderiam sequer entrar naquele ambiente, considerado sagrado.

E aí eu te pergunto: com que sentimento você prepara sua comida? Com que sentimento você nutre suas células diariamente? Com que sentimento você inunda a sua vida e a vida das pessoas que estão ao seu redor?

Escolha os sentimentos que quer vibrar e coloque intenção positiva em todos eles, para criar a atmosfera que deseja para a sua vida.

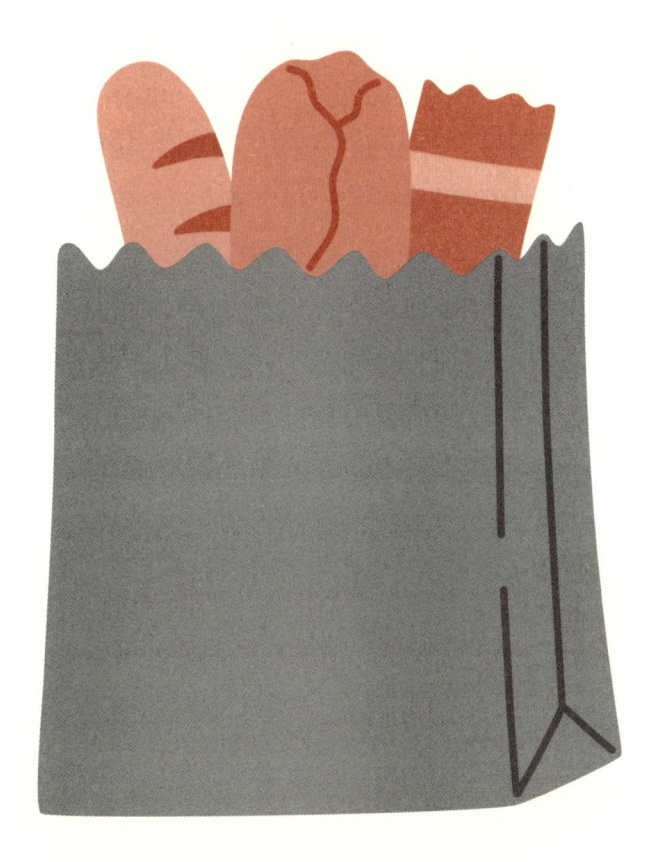

LIÇÃO 107

ORGANIZAR FORA PARA ORGANIZAR DENTRO

"A bagunça é inimiga da prosperidade."

Conceito Feng Shui

Organizar a casa, para mim, é uma das coisas mais importantes da vida — e não estou dizendo isso porque quero que saiba o quanto a ordem fora pode determinar a ordem na sua vida. Meus armários são todos organizados, até mesmo os da garagem, e isso é essencial para a vida. Já estudei muito Feng Shui, que é um trabalho sério estudado há mais de 4 mil anos para canalizar, equilibrar e aumentar a energia vital do ambiente.

Num ambiente preparado de forma harmoniosa, as pessoas têm um aumento de suas forças vitais, capacidades físicas, emocionais e mentais, e estão preparadas para responder com velocidade e destreza aos estímulos externos que se apresentarem.

A cura dos ambientes faz com que a casa saudável ajude as pessoas porque a organização reflete o estado interno de seus moradores. Logo, se nossa casa é sinônimo de abrigo, proteção, aconchego e é nosso canto, ela tanto influencia os moradores como é influenciada por eles.

Quando mudamos alguma coisa em nossa casa, estamos trabalhando com as nossas emoções. Cada objeto novo que entra e sai está relacionado às mudanças interiores. A sua casa e seu corpo sempre refletem seu estado de espírito, e é preciso tirar tudo que não quer mais para, então, colocar o que deseja.

Quando fizer a limpeza física do ambiente, lembre-se sempre da intenção. E mesmo que for arrumar uma gaveta por dia, faça isso. Da mesma forma que precisamos alimentar nosso corpo adequadamente e desintoxicá-lo, precisamos fazer uma faxina no ambiente que vivemos.

Sua casa é seu lugar sagrado e, se organizamos tudo, refletimos o que desejamos em nossas vidas. Um ambiente alegre e saudável atrai alegria e saúde.

O lugar onde vivemos afeta diretamente nosso corpo, nossa mente e nossa vida de forma positiva ou negativa. **E lembre-se: para atrair coisas novas em sua vida, jogue fora tudo que não usa — desde roupas até objetos, papéis velhos e coisas sem necessidade.**

O acúmulo ocupa espaço físico em nossa casa, mente e coração.

LIÇÃO 108

NUMEROLOGIA – A LEI DA VIDA

"Todas as coisas são números."

Pitágoras

Desde que conheci a Numerologia, passei a aplicá-la na minha vida e percebi como tudo mudava a partir dos números.

Minha antiga casa teve o número mudado depois de eu descobrir isso — e pode parecer loucura, mas é a mais pura ciência. Você não precisa acreditar, mas os números influenciam nossa vida em tudo.

Quando decidi escrever este livro, pensei em trazer 100 lições. Mas, logo que escrevi todas elas, me veio o insight: preciso fechar com o número 9. Então, precisaria escrever mais oito lições.

O total seriam 108 lições. A soma de 8 + 1 = 9.

Por isso também procurei informações sobre o poder do número 108, que é o número de contas do Japamala. Devia existir alguma ligação para esse número ser considerado tão sagrado! E, para meu espanto, encontrei algumas informações que coincidiram com o desejo de escrever 108 lições.

A primeira delas é que na Astrologia existem 12 constelações e 9 segmentos de arco chamados *namshas* ou *chandrakalas*. Nove vezes 12 é igual a 108. Na astronomia, o diâmetro do Sol é 108 vezes o diâmetro da Terra. A distância do Sol até a Terra é 108 vezes o diâmetro do Sol. A distância média da Lua da Terra é 108 vezes o diâmetro da Lua.

E, agora, veja só: conforme a teoria dos chakras, estes são as interseções de linhas de energia, e um total de 108 linhas de energia convergentes formam o chakra do coração.

Existem respostas astrológicas, budistas e tântricas para o fenômeno, mas não vou me estender em todas elas. Quero só que você fique atento aos números e como eles impactam em sua vida. E, a partir de hoje, observe a si mesmo conforme as datas, lugares, episódios e horários, e crie um caderno de sincronicidades para perceber como tudo está correlacionado.

Ah, pode parecer mentira, mas quando decidi me sentar para escrever as últimas páginas do meu livro, o relógio marcava 09:09. O Universo sempre dá um jeito de nos trazer as respostas, e os números muitas vezes trazem sincronicidades e eventos impressionantes.

Não desperdice mais seus segundos e minutos com informações irrelevantes. Use seu tempo para pesquisar tudo aquilo que trouxe aqui no livro.

E use este livro como fonte de material para que você possa se aprofundar em cada assunto e criar seu próprio manual de atividades diárias para perceber como as lições são simples de serem aplicadas e podem transformar nossa vida de maneira tão rápida. Use a Inteligência do Coração para realizar seus sonhos e alcançar o que deseja na sua vida.

O coração pulsa. A vida pulsa. A Terra espera de nós que devolvamos a melhor energia, purificada — para que a vida possa continuar prosperando e sendo a manifestação de tudo aquilo que queremos para nós.

**Com todo meu coração,
agradeço por ter chegado até aqui.
Transforme a si mesmo e a
sua vida se transformará.**

AGRADECIMENTOS

Este livro nasceu de algo muito especial, uma ligação que sempre senti com meu coração, e também da coragem de sempre seguir seus conselhos.

Escrever um livro sobre Inteligência do Coração era um grande sonho, por isso, compartilhar com vocês essa inteligência e lições práticas que me ajudaram a realizar todos os meus sonhos é uma grande realização na minha vida!

Esta obra é resultado de bastante estudo e da junção de pessoas especiais, que vibraram na mesma sintonia para esse conteúdo virar um livro. Agradeço o carinho e a competência da Rackel e de toda equipe da Luz da Serra Editora; agradeço a Cinthia, minha *ghost writer*, que me ajudou a colocar no papel toda essência desse conteúdo tão relevante para vocês acessarem essa inteligência poderosa. E também agradeço de coração a minha família: meus pais, que sempre me apoiaram e me mostraram os verdadeiros valores da vida; meu irmão George, que ensinou para toda família o significado da Inteligência do Coração; meu marido, que é o grande amor da minha vida; a Maria Alice, minha primeira filha, que me mostra todos os dias o verdadeiro significado do amor incondicional; e minha segunda filha, Maria Victoria, que já na minha barriga faz esse amor transbordar ainda mais!

Gratidão por vocês todos que fizeram esse conteúdo tão especial se transformar num livro único, que vai levar muitas bençãos para milhões de vidas.

@patriciameirelles

Transformação pessoal, crescimento contínuo, aprendizado com equilíbrio e consciência elevada.

Essas palavras fazem sentido para você?

Se você busca a sua evolução espiritual, acesse os nossos sites e redes sociais:

iniciados.com.br
luzdaserra.com.br
loja.luzdaserraeditora.com.br

luzdaserraonline
editoraluzdaserra

luzdaserraeditora

luzdaserra

Luz da Serra EDITORA

Avenida 15 de Novembro, 785 – Centro
Nova Petrópolis / RS – CEP 95150-000
Fone: (54) 3281-4399 / (54) 99113-7657
E-mail: loja@luzdaserra.com.br